LE CHASTE MONDE

"Domaine français"

ISBN 978-2-330-04834-1

RÉGINE DETAMBEL

Le chaste monde

roman

ACTES SUD

au Cosmos d'Alexander von Humboldt
aux Amériques de Blaise Cendrars
aux Grandes Plaines de Cormac McCarthy

mes mappemondes

à Nicolas Bouvier
aux clochards si hautement terrestres
de Jack Kerouac

mes cartographes

Tôt ou tard viendra une ère de camaraderie sexuelle où le garçon et la fille considéreront avec un parfait accord dans l'étonnement un tas de vieux ressorts cassés qui auront été un jour l'homme et la femme !

ROBERT MUSIL

I

Né beaucoup trop tôt, quand Berlin n'est encore qu'une toute jeune capitale, terriblement rurale, sans grâce ni légitimité, juste une friche en comparaison du Munich des Wittelsbach, du Stuttgart des Wurtemberg, du Düsseldorf des ducs de Berg à rouflaquettes, insensés et richissimes.

Né dans une Prusse étroite, à plus d'un siècle de l'éruption qui changera la donne. Des studios électriques de *L'Ange bleu* au tourbillon de lumière de l'Alexander Platz, Berlin va devenir une ville insaisissable, un paradis où il n'y aura plus de censure, une aire de liberté illimitée. Inutile de rembarquer sur une caravelle pour singer les conquistadores, *L'Eldorado* est désormais le nom d'une salle où l'on applaudit chaque soir les plus beaux travestis de la planète. Sans compter les bals mouvementés, le *Kleist Casino* tout illuminé des soutiens-gorges à paillettes de ses danseuses du ventre, le café *Mon Bijou*, exclusivement pour les garçonnes baignées de fièvre, ou encore le *Dorian Gray*, et la liste est sans fin parce que Berlin refuse de dormir. Plus rien n'a vraiment d'importance, les garçons ressemblent à des femmes vicieuses et les filles paradent en costume trois pièces. On fêtera dans des mètres cubes de champagne et du gâteau à la meringue l'inauguration du premier institut de sexologie au monde, présidé par le tumultueux docteur Hirschfeld.

Les garçons, c'est pas une maladie. Demande au jazz, demande aux nègres et aux partouzes. Et même Hitler a l'air d'une folle perdue.

Tant pis s'il est né dans une province racornie, Axel ne sera pas le seul vert rameau d'Europe à vouloir malgré tout se dresser dans la lumière, car ils sont quelques-uns, de très haute extrace, à voir le jour cette même année où Bougainville a levé l'ancre pour aller observer au ciel de Pondichéry les frasques de Vénus. Parmi ceux qui se sont présentés en 1769 dans les starting-blocks, sur un coup de tête ou par réelle admiration pour la Vie, notez Chateaubriand, Bonaparte, Cuvier, déjà de mauvaise humeur et prêts à en découdre, tous aussi bosseurs, tous aussi sérieux, avec les plis verticaux autour de la bouche des hommes qui ne sourient pas beaucoup, tous trois dingues de Louisiane, sans doute une inclination des astres, et pour des raisons aussi diversement éblouissantes que la longue chevelure de la vierge Atala, quinze millions de dollars de bénéfice ou des fossiles de cétacés antédiluviens dans les bayous… Le même rêve en guise de rempart contre la solitude de la jeunesse.

Comme François-René, Axel ira aux Amériques sur un bateau chargé de malles et de cantines en se promettant de ne jamais rentrer, comme Cuvier il transportera partout ses ustensiles et ses bocaux, du Muséum d'Histoire naturelle aux bivouacs les plus précaires dressés sous les cris des singes, méditant les fossiles à la loupe, depuis la gerboise de Montmartre jusqu'aux mammouths de Sibérie, rêvant de rapporter du long tunnel de la jungle équatoriale un herbier de six mille espèces, dont près de quatre mille jamais décrites, portant encore dans leurs fibres l'odeur poisseuse de l'Orénoque.

Pour l'instant, Axel est un adolescent robuste, cheveux blonds aux épaules, pommadés et soigneusement partagés en deux par une raie impeccable, parfum à la mode, la bouche très charnue. Sa mâchoire, ses épaules sont celles d'un taureau nerveux, mais les fines attaches des poignets, le dessin du menton, les oreilles petites indiquent que l'ensemble est plus ambigu qu'il n'y paraît. En effet, au pied du dragonnier, immense et ancestral, du jardin botanique de Berlin, dans la serre qui rayonne comme un poêle rougeoyant, Axel et un petit pépiniériste sont ponctuels à leur premier rendez-vous, au plus fort de l'hiver 1783, les cheveux propres et brillants, la gorge nouée.

Leurs premiers gestes, hésitants, aboutissent seulement à des baisers sanglants comme des transfusions, chacun s'étant convaincu rageusement que l'autre ne l'aimera pas et détestera voir nus ses testicules qui ne sont même pas tout à fait descendus, et les petits poils sympathiquement frisottés sur ses fesses.

La peur a séché la bouche d'Axel. Le pénis qui frappe son palais est doux et acide. Il commence à sentir les pulsations. Ses genoux nus contre le sol humide lui font mal. Il prend la main molle et pendante du garçon et entrelace leurs doigts, levant les yeux à la recherche d'un regard, mais les paupières de l'autre restent closes, crispées, et son visage vide d'expression. Il souffle rythmiquement sur l'épaule d'Axel, les anneaux de sa trachée ondulent, il sent la sève des citronniers qu'il vient de tailler.

Après, le jardinier saute par-dessus la clôture. Il pisse un cercle brun sur le sable et disparaît. Axel court jusqu'à la tache. Il va jusqu'à gratter un peu le sable. Le porter à ses lèvres. Ça craque sous la dent, c'est bon, ça va lui rendre la santé.

Chaque matin, le démon de la botanique le fait se lever tôt. Carillon des sabots ferrés, carrosse aux grincements de ferraille plus doux que les jacassements de ces perroquets jaunes que La Condamine rapporta du Brésil. Et de nouveau le grand souffle d'air sur le sexe brûlant, dans la serre à l'odeur génitale et toute fraîche. Avec l'apprenti jardinier ou avec un autre gardien. Avec des garçons qu'il paie ou non, qui empochent l'argent sans regarder combien, élégants et brouillons à la fois. Peut-être bien qu'ils font ça par amour.

Il fait doux dans la serre qui protège les arbres précieux contre l'hiver continental. Derrière la vitre, des barques sur la Spree, loin, gardées par des chiens, dans la brume. Le jour baisse, Axel ignore l'heure, il ferme les yeux. Dehors s'agitent les fûts des épicéas dressés à quarante mètres. Au même rythme Axel promène ses ongles, en rêve, contre des fesses et des cuisses musclées, sur tout le corps et sur le membre, il prend ce membre entre ses lèvres, ça le fait rougir, même en rêve.

Maintenant, accroupi dans la serre à l'odeur de paille humide et de semence poisseuse, il dessine le dragonnier des Canaries, ce palmier d'une longévité exceptionnelle, au feuillage étrange, son arbre préféré, il aime son allure de grand parasol prisonnier. Une résine carmin s'écoule de ses blessures, qu'on appelle sang-dragon. Jadis on l'avait transplanté dans une vieille tour, à l'abri du vent glacé, un bouquet dans un chapeau démesuré, moulé dans sa muraille, moins étranglé toutefois que le pauvre Axel pris dans les hautes parois du château de Regel, malheureux de son mal impossible à confier.

Le dragonnier, c'est l'arbre de la liberté pour Axel. Il ne l'oubliera jamais. Un beau jour, poussé par le fracas du vent, il commencera son long voyage équatorial par Tenerife, dans les Canaries, une île de rêve où l'on nourrit les cochons avec des abricots superbes, où l'on vénère un dragonnier d'une circonférence de quatorze mètres, qui a peut-être cinq mille ans. Parce qu'Axel sait déjà qu'il foutra le camp d'ici, que sa chambre au château de Regel ne lui servira plus que de dépotoir, il n'y viendra qu'entre deux frégates, entre deux traîneaux, pour vider ses malles ou abandonner un homme ou consulter un atlas.

Et toujours il en repartirait au plus vite, le cœur et les mains libres.

En attendant, les récits de voyage défoncent ses poches. Tout l'été passé dans sa tanière de chèvrefeuille au fond du parc de Regel avec La Condamine, à se laisser porter par le fleuve Amazone jusqu'au mascaret de son embouchure. Avec Bougainville autour du monde. *La Boudeuse* avait mouillé à Tahiti en avril 1768, on était convaincu depuis que le bonheur naturel existe quelque part, très loin de Berlin. Ivre de leurs expéditions, Axel a déjà la certitude qu'eux seuls sont allés jusqu'au bout, qu'ils ont su tirer de leurs épuisants voyages la conclusion juste de leur amour contrarié, de leur esprit fêlé ou de leur obsession de gloire. On ignore toujours les raisons exactes des héros.

Cette fois, un jeune gardien emmène Axel dans un bureau glacial, avec une unique fenêtre étroite donnant sur un rempart de magnolias. Peu de choses dans cette pièce, à part une chaise endommagée, une petite table avec une poire à poudre et deux gamelles sales, en fer-blanc. Le gardien porte une moustache. Il est violent. Ses cuisses et ses fesses n'ont pas de marque de bronzage, sa peau est naturellement aussi sombre que ça. Il y a un peu de sang. Axel a l'impression de mourir.

Mieux vaut te rincer avant de rentrer, dit le gardien.

Fracas métallique du seau renversé dans l'évier de pierre. Un peu plus tard, les souliers trempés, Axel jaillit du brouillard sur une allée de briques soulevées par les racines d'un cèdre et franchit la grille vert et or en titubant. Un cocher en livrée referme sur lui la portière de la voiture noire, ornée d'un écusson doré. Les chevaux frémissent, leurs muscles se contractent sous la robe mouillée. Puis va-et-vient des épaules du cocher, de son dos avachi dans le néant froid et gris. Durant presque tout le temps du retour, le dos appuyé contre la portière brinquebalante, Axel sentira un petit point douloureux à l'intérieur de lui-même, là où le gardien s'est brutalement introduit.

Les sabots sonnent. Les chevaux le portent à travers une campagne horriblement paisible de petits vergers cultivés, de labours sans vie, traversés de corbeaux brillants comme des bijoux de verre. Immédiatement après la boucle de la rivière et le dernier pont sur l'eau trouble, les hautes fenêtres du château de Regel dominent l'allée sablonneuse où la calèche s'est engagée. Sur le perron, des jardinières pleines de feuilles noircies, en décomposition. Dans la fontaine muette, les dauphins en ciment sont couverts de rouille. Tous les brins de la pelouse ont gelé en pipettes de glace.

Deux palefreniers se précipitent.

Arrêtez, faites demi-tour, je vous en prie, ramenez-moi là-bas, au jardin, j'ai oublié mon carnet de croquis.

Le cocher dévisage son passager d'un œil opaque. Le poing sur la poitrine, haletant, Axel contracte les mâchoires. Un seul mot de sa mère suffirait à clouer le garçon mais Elizabeth von Kemp ne se montrera pas. La nuit est sur le point de tomber et elle caracole encore dans une partie de chasse, sa belle tenue d'amazone éclaboussée de la matière blanchâtre d'une cervelle de chevreuil. Très loin on entend les cors et les gémissements de ses chiens impatients.

Le cocher indécis tapote ses mains gantées l'une contre l'autre. Il pense ce que tous les domestiques du château de Regel sont en train de penser : il y a un débile mental dans toutes les vieilles familles, certains ne savent ni lire ni écrire, d'autres ne résistent pas au charme des tailleurs de haies.

Enfin il prend le parti de tourner le dos à l'immense façade pour suivre docilement le mince doigt tendu en direction du jardin botanique de Berlin où se dressent des épicéas plus hauts que les mâts du *Résolution* de James Cook, leur végétation de plein vent, leur érection terrible.

Le télescope de Herschel a visé Uranus, qu'on avait pris d'abord pour une curieuse étoile plutôt floue. La Pérouse se prépare à partir. Au lieu de ça, la calèche armoriée du château de Regel doit se contenter d'abattre chaque jour les vingt-cinq kilomètres qui séparent Axel de son dragonnier érotique.

Vingt-cinq kilomètres c'est déjà un petit morceau de méridien.

Pour le reste, il faudra encore patienter. Jusqu'au très méditerranéen Napoléon d'Iéna, le *Dracaena draco* du jardin botanique de Berlin, avec ses feuilles multimillénaires en forme de sabre, sera vraiment la chose la plus exotique de Prusse.

II

Georg von Kemp, baron prussien désargenté, avait épousé une jeune et très riche veuve, descendante de huguenots réfugiés en Allemagne après la révocation de l'édit de Nantes. Elle déposa dans la corbeille de mariage un château et sa pinède, entre Berlin et Spandau. Regel devint une superbe fantasmagorie où apparaissait régulièrement le jeune Goethe, célèbre à vingt-cinq ans pour ce Werther qu'on peignait depuis, au flanc des théières de porcelaine et sur les boîtes de chocolats. Vêtu de son manteau lourdement chamarré, Frédéric de Prusse lui-même venait y faire courir ses lévriers.

Georg était franc-maçon, il appartenait à la même loge que Frédéric et savait tout de son prince. Major durant la guerre de Sept Ans, il lui avait tenu la main quand tout était perdu, quand on n'avait plus que trois mille hommes pour défendre Berlin contre Autrichiens, Français et Russes coalisés, quand des bandes de pillards ravageaient le pays, une autre guerre de Trente Ans devant laquelle le prince avait baissé les bras et caressait l'idée d'un suicide à l'antique, en écrivant des vers français.

À peine trois ans plus tard, le major remplissait le verre de l'empereur pour fêter leur victoire. La Prusse s'agrandissait des conquêtes de la Russie, Frédéric était un géant. Les brillants amis français de Sans-Souci s'étant dissipés, Georg fut nommé chambellan à la place de Voltaire et profita à son tour des Watteau, des vins de Champagne, des pommards, il fit dresser dans le parc de Regel une statue de l'Espérance, il donna à ses fils des précepteurs inspirés de Rousseau, ni châtiments ni réprimandes mais, à tout bout de champ, *Le Spectacle de la nature* de l'abbé Pluche, avec une planche de coquillages gravés en taille-douce et, lumineux de leurs vraies couleurs, l'abdomen d'une épeire, le museau pointu d'une mante religieuse, une loutre et un bouquetin, la fleur et la feuille du magnolia, l'anatomie des grenouilles, d'un crabe des cocotiers. Des heures de félicité absolue à barboter dans l'immense archipel des images.

Et pas seulement la nature imprimée mais aussi les blessures du dehors, la vie à la dure, qu'ils ploient sous la forêt, qu'ils en bavent, ces mômes, qu'ils comprennent que les arbres et le vent sont plus forts qu'eux et que tous les caprices des hommes ne sont que de l'autorité et certainement pas de la force.

Seule la nature est forte.

La nature et Georg von Kemp.

Le père était une brute. Il aimait la guerre.

Si tu ne t'es jamais regardé dans le miroir de feu, disait-il, c'est comme si tu ne te connaissais pas.

Georg ne pouvait absolument pas comprendre les problèmes de ses fils. Il ne connaissait absolument rien de fin, de moulu, de pilé, de délicat. Il ne s'était jamais abandonné à un état d'âme. Il détestait la musique. Une cage thoracique qui s'enfonce sous sa botte cloutée, moelleuse comme un soufflet, faisait son bonheur. Il se ruait tête baissée dans la vie, à grands coups de poing, et si on était sur le point de perdre la bataille il n'était pas du genre à prier, mais il défonçait au sabre un baril de rhum pour projeter au ciel un dernier incendie de sensualité.

Il ne parlait pas beaucoup. Quand on se bat, on est tellement imbriqués les uns dans les autres, tellement ligotés à la même roue du destin qu'on se comprend forcément sans parler.

Donc Georg ne parla pas à ses fils. Il secouait seulement les grosses bûches de ses bras sous les épaulettes dorées, chargé jusqu'à la gueule de force, l'énergie incarnée, et quand il quittait la pièce, laissant les gosses désemparés, c'était toujours d'un pas rapide qui faisait trembler les cristaux sur les étagères, du même pas de charge qui se fraie un chemin entre les cratères à travers feu et plomb.

Le véritable grand maître d'Axel ne fut donc pas le chamarré Georg von Kemp, mais Daniel Defoe, un commerçant en gros. Il avait suffi qu'un pâle précepteur, ex-aumônier militaire cloîtré avec des mouflets parce que les guerres le rendaient malade, oublie dans la bibliothèque des garçons ses œuvres complètes pour la jeunesse, trente-sept petits volumes reliés de toile bleu pâle, effroyablement plagiaires, dont un *Robinson Crusoé en dialogues*, qui eut plus de quarante éditions, et la *Découverte de l'Amérique*, pas moins, une compilation de récits de navigateurs bien désossée, bien dégraissée, et copieusement sucrée de promesses exotiques au goût d'ananas. Mais à partir de là, et comme Robinson Crusoé était d'ascendance allemande, le tranquille parquet de la bibliothèque, Axel le fit tanguer pour imiter à loisir les vagues tumultueuses où les plus beaux navires s'abîmaient dans un océan de chêne encaustiqué.

On le croyait ici et calme, il était surtout ailleurs, en des régions bouleversantes, inconnues de tous.

S'était-on véritablement rendu compte de la passion radicale qui conduisit Axel von Kemp à tout penser, dès l'âge de six ou sept ans, dans une perspective exclusivement géographique ? La violence des domestiques, les jalousies de sa mère, la douleur, il les métamorphosait en crises barométriques. Des tornades tournaient dans son crâne, les ouragans rougissaient ses joues, les tempêtes grondaient en lui, les typhons le débraillaient, des cyclones rejetaient ses cheveux en arrière, il ne chialait que des raz-de-marée, tandis que Wilhelm, son aîné de deux ans, son surdoué de grand frère, s'avançait paisiblement dans le grec, le latin, la philosophie et autres trapèzes volants du cirque cérébral, s'apprêtant déjà à retourner le langage comme on ne l'avait jamais fait, pour montrer aux philologues ce qu'ils n'avaient encore jamais vu.

Wilhelm aimait par-dessus tout parler. Il était convaincu que le désir d'être cruel et de faire mal avec des mots fait partie intégrante de la nature humaine. Ses soirées entre amis étaient des champs de bataille, ses conversations des duels. Il essayait toujours de frapper le premier, de donner le coup de patte rhétorique qui lui donnerait la supériorité, le triomphe. Il serait de la race professorale. Il réduisait déjà le monde en mots. Il n'observait rien, il citait des dictionnaires, il tourbillonnait, il se montrait plus soucieux d'inventer les moyens de se répandre en réponses étincelantes et de parvenir verbalement à une position que de pénétrer la vérité interne des choses.

Axel n'était pas causant. Lui rêvait d'entrer dans les choses. Le plus silencieusement possible. Le plus profondément aussi, cela va de pair. Cette manie de solitude inquiéta Elizabeth qui le suivit un soir à son insu et le surprit dans sa cachette au bord de la Spree, assis par terre, l'œil fixe, apparemment perdu dans le vide. À quoi pouvait-il bien rêver quand il restait immobile durant des heures, indifférent comme un idiot, avec une folle activité dans la tête qui faisait papilloter ses yeux, et un léger va-et-vient du buste ? De l'épier lui donnait le vertige et tout à coup Elizabeth se mit à avoir une peur horrible de lui. Il lui fallut un moment pour se rassurer, en découvrant qu'il était en train d'observer un insecte.

J'ai cru que tu avais l'esprit dérangé, murmura-t-elle.

Axel ramassa le scarabée et le tendit à sa mère avec fierté, exactement comme un bouquet, mais elle intercepta le mince poignet dans ses doigts puissants comme les ressorts d'un piège à rats : Jette ça, je te dis.

Elizabeth est piétiste. C'est Luther, avec beaucoup de mystique. Depuis quelques années, elle sent Dieu aussi nettement qu'un homme posté derrière elle pour lui mettre un manteau sur les épaules. En fait, Elizabeth von Kemp n'aime que Dieu et le gros gibier. Un cornet à poudre, un couteau à éviscérer, voilà tout son attachement terrestre. Dans cette profonde et très spacieuse idylle il n'y a plus de place pour ses fils. Elle leur donne des ordres avec une ride verticale entre les deux yeux et s'exprime avec véhémence. On dirait bien qu'elle s'est chargée de recouvrir d'un voile de tristesse toute excitation qui dépasse l'ordinaire dans l'œil des garçons.

La cachette d'Axel avait été ménagée dans un amas de rochers, d'arbres tombés, d'étranges poches d'eau tourbillonnante sous les remous d'écume. Une petite cascade de deux mètres de haut dégageait une poussière d'eau aveuglante.

Dans ce décor, Elizabeth ne vit pas Dieu. Elle haussa les épaules et considéra longuement son fils, sa maigreur à gros genoux.

Qu'est-ce que tu fais là ?

Elle attrapa une branche de saule, puis son couteau, elle avait toujours son couteau de chasse dans la tige de sa botte, elle coupa la branche. Les bras d'Axel se couvrirent de zébrures. Elle le frappait mais ne se calmait pas pour autant parce que le grondement de la cascade la privait des sifflements rassurants de la flagellation. Un profond malaise agissait en elle tout à fait comme un amour blessé, auquel s'ajoutait une jalousie indéfinissable, dirigée non pas contre quelqu'un qu'elle eût supposé être à l'origine de la conduite d'Axel, mais contre un incompréhensible quelque chose derrière quoi elle se sentait rejetée. Peut-on être jalouse d'une cascade ?

Bientôt des guêpes tournoyèrent autour de sa tête. Elle battit prudemment en retraite. En reculant, elle fit peur à un serpent enroulé au soleil sur un tronc. Le couteau, encore. La lame siffla plus fort que le serpent. Ensuite, croyant effrayer son fils, elle disposa la bête morte autour de son cou, en écharpe, et s'avança vers lui. Cette charogne, ça puait bien plus qu'un chevreuil. Ça dégoulinait de quelque chose de jaune.

De retour à Regel, quand elle retira ses bottines de chasse pour frictionner ses pieds endoloris, elle découvrit une demi-douzaine de sangsues entre ses orteils, suçant sa peau blanche. Ne demanda l'aide de personne. De nouveau le couteau.

Et tous les soirs de cette semaine-là, pour lui faire passer l'envie de fuguer, elle envoya un domestique menotter son fils à son lit. Axel supplia de ne pas tirer les rideaux. Comme le ciel était haut et dégagé il passa la nuit à compter les étoiles qu'il voyait. Il est très difficile de dépasser quarante en étant certain de n'avoir pas compté deux fois la même. Au bout de quelque temps il était parvenu jusqu'à cent dix, mais avec une marge d'erreur qui avoisinait sûrement les trente pour cent.

Georg von Kemp était mort à Regel en 1779, la même année que le capitaine Cook sur les rivages hawaïens. Il aurait évidemment préféré s'abîmer comme un météore, dans une gerbe d'étincelles, avec d'autres baroudeurs téméraires, au lieu de s'éteindre à petit feu vacillant dans une chambre aux tentures ridiculement roses, ses lèvres et ses ongles d'un bleu de Watteau. Assommé, dépecé, mastiqué lui aussi, mais par le cancer, il en avait soudain eu assez de cette exécution bien trop lente, un héros germanique a hâte d'en finir. Alors Georg avait saisi un pistolet et goûté d'abord la fraîcheur du canon sur sa tempe.

L'écho du coup de feu n'en finit pas de s'éteindre dans les couloirs de Regel.

Pour être tout à fait exact, il faut préciser que deux heures avant, Elizabeth lui avait apporté ce pistolet tout chargé en lui murmurant à l'oreille :

Je n'en peux plus, je ne reviendrai plus te voir, jusqu'à la fin.

Georg ne s'étant jamais départi d'une sorte de joyeuse furie, elle s'était persuadée qu'il serait capable de se tuer sans jurer ni trembler, mais en riant. Elle comptait vraiment qu'il se tuerait en riant. Et elle était allée à l'écurie défouler son attente, pansant les chevaux beaucoup trop serré, les étrillant au sang.

Quelques heures après la mort de Georg, Elizabeth écrivit dans son journal : *Dormi. Prié. Vais beaucoup mieux. Fin de Georg. Dernier combat de sa nature. Sa mort aux alentours de midi. Vide et silence de mort en moi aussi. L'abandon où Dieu me laisse, c'est sa manière à lui de me caresser. Puis arrivée inopinée de la princesse Ida et de Bernhard, le vice-chambellan, qui ignoraient tout. Ils riaient beaucoup. Ma mine d'éteignoir pour les faire taire. Puis au lit de nouveau. Au lit toute la journée. Je ne l'ai même pas vu mort, je veux dire avant son embaumement. J'ai entendu un écho, mais pas le coup de feu ; j'ai vu sa porte close, mais je ne l'ai pas ouverte.*

À la cérémonie funèbre, Wilhelm portait une veste de velours noir et ses cheveux se répandaient sur son col. Les frères étaient debout l'un près de l'autre, appuyés au même pilier de la petite chapelle. Malgré leurs deux années d'écart, leurs tailles accordées. Axel, puissant, les yeux pleins d'interrogation ; Wilhelm, fuselé avec un visage de pastel. Mon frère est beaucoup plus beau que moi. Et doué. Et maintenant poète. La première poésie de Wilhelm lui vint justement ce soir-là, quand Georg faisait un éblouissant échantillon de mortalité, couché au milieu de gens qui s'affairent, de vieilles femmes qui brassent fleurs et cierges. Il n'avait plus de cerveau et il fallut contenir dans des bandes le crâne émietté. Axel baissait les yeux, jouait avec le cierge fondu, pressait l'empreinte de son pouce dans la cire tiède. Il finit par oser regarder la figure creuse dans les plis du drap funéraire, sa coiffure idiote, les traits tirés, les paupières minces comme du papier.

Ça n'est pas du tout comme dormir.

Elizabeth von Kemp avait trouvé le moyen d'arriver en retard à la cérémonie funéraire. Des domestiques partirent à sa recherche. Elle était accroupie dans la forêt avec une arbalète, derrière l'affût à cerfs.

J'ai oublié le temps, dit-elle en passant à toute vitesse une robe de velours noir dans laquelle elle se recroquevilla aussitôt comme un singe.

Il flottera toujours un parfum de deuil sur les cent quarante-huit pièces du château de Regel. Georg n'est plus, mais sur son bureau les objets du monde sont encore là, comme de son vivant. Par conséquent on doit pouvoir en déduire que la vie n'est pas seulement une chimère.

Sur le bureau d'orme massif, ses crayons, intouchables, sont devenus des objets de magie, en compagnie d'une lettre à longue écriture bleue, inachevée, d'une loupe qui porte en son centre l'empreinte digitale de son pouce, d'un thermomètre, d'une boîte à pipes, d'un coquillage presse-papiers dans lequel on entend l'océan en même temps que le vide émouvant de l'absence du père. Au milieu des livres et des bustes de philosophes en bronze, sur le tout dernier rayonnage d'acajou de la bibliothèque, Elizabeth a exposé son masque mortuaire, un bibelot saisissant, les traces de mort ont été limées, les yeux rouverts, les auréoles de petite vérole estompées. À présent l'esprit de Georg a un corps. Le plâtre a reproduit les traits plus authentiquement que ne l'avait fait le visage vivant, trop étroitement tenu par la raison et la volonté. Étrange sclérose que la vie impose aux joues, et que le plâtre assouplit, en paradoxe.

Assis sur l'échelle qui sert à explorer les livres des régions supérieures, moulé dans son pyjama de laine blanche, la tête levée comme pour suivre le vol d'un oiseau, Axel regarde son père en face. Ce visage lui donne de la lumière. Et avec la lumière revient la silhouette de cet homme toujours flanqué de grands et magnifiques chiens, toujours monté sur son haut cheval musclé, une terrifiante montagne dont la peau frémissait au contact de sa main d'enfant. Quoi qu'il touchât en ce temps-là, son père, le cheval, un chien, cela rayonnait merveilleusement dans tout le corps d'Axel. Et chaque fois qu'il se recueille devant le masque, même chatouillement de joie partout, même sentiment terriblement fort de la présence du père.

Et maintenant, la pièce paraît plus humaine. Bois verni, frais laiton des escabeaux. Face aux rayonnages, Axel se soulève sur la pointe des pieds et se laisse doucement retomber. Le plaisir d'être monte du parquet comme un brouillard. *Voyage autour du monde* de Georg Forster. Ses yeux s'illuminent aux tranches dorées. Les huit tomes de l'*Histoire générale des animaux* par le comte de Buffon. La *Relation abrégée d'un voyage fait dans l'intérieur de l'Amérique méridionale* de La Condamine. Il s'en faudra de vingt ans pour qu'Axel y apporte mieux qu'un simple complément.

Loin de la transparence de cristal qu'exige Elizabeth, il se dissimule dans l'ombre pour songer à ce qu'il veut. La plupart du temps c'est à Bernardin de Saint-Pierre, quand les esclaves meurent de peur à l'idée que les Blancs feront du vin rouge avec leur sang, et avec leurs os de la poudre à canon.

Aux Hottentots du Cap, qui s'habillent de boyaux de lions et mangent de la chair humaine, d'ailleurs toutes les mères hottentotes déchirent avec les dents le testicule droit de leur nouveau-né et le gobent.

À James Cook, *j'ambitionnais non seulement d'aller plus loin qu'aucun homme n'était encore allé, mais aussi loin qu'il était possible d'aller…*

Au manuel chaud comme le flanc du poêle dans lequel il apprend le mexicain originel, l'idiome des Aztèques et des Toltèques. Le nahuatl est vraiment une langue d'enfant : chocolat, cacao, cacahuète…

Aux romans où l'on s'aime innocemment, selon les lois de la nature, où l'on est le dernier descendant des Incas, le fils aîné d'un chef kanak, élevé par une Anglaise adorable et richissime, et ne découvrant ses origines que beaucoup plus tard.

Avec une préférence marquée pour les épisodes avec des sauvages. La première rencontre, le premier regard, les armes disproportionnées, les habits pas pareils, ça fait immanquablement chialer Axel. Il se croit indigène, adopté par une Prussienne revêche, puis exilé à Berlin, et donc pressé, c'est bien compréhensible, de retrouver les siens sur leurs terres océaniques, battues par les vents. Il a besoin du lointain, il pense toujours ailleurs, il rêve, il s'invente de l'exotique. Tout son travail d'adolescent grave et taciturne consiste à dresser autour de lui l'espace scénique de la planète, à disposer caravelles et frégates sur les océans tourmentés, à planter dans un Sénégal imaginaire les baobabs de Michel Adanson et regarder onduler leurs branches, au-dessus des lions affamés, dans le vent du désert.

À plat ventre sur le tapis, il contemple silencieusement ces atlas qui n'ont jamais eu pour mission que de le faire patienter. Le moment n'est pas encore venu de tout planter là. D'où ses idées de sauvageon destinées à le former en attendant : s'exercer à dormir dehors sans couverture, capturer des insectes et les dessiner à main levée, jusqu'au jour où il s'en ira pour de bon.

III

Dix-sept ans, mais il en paraît davantage, et toujours forçat à Regel, traqué, affamé, impatient, désespérément convaincu qu'il lui faudra comme son père crever dans son lit.

À mille kilomètres de là, le royaume de France bouillonne. Louis XV a cessé depuis longtemps de travailler pour le roi de Prusse. *La Boussole* et *L'Astrolabe* rutilent dans les chantiers navals. Avec enthousiasme et passion, Louis Capet prépare sur ses mappemondes le voyage du comte de La Pérouse. On a traversé la Manche en ballon. Thomas Jefferson a succédé à Benjamin Franklin au poste d'ambassadeur en France des jeunes États-Unis. Il vient de publier ses *Notes sur la Virginie,* qu'Axel dévora. Jefferson a toujours défendu l'idée d'une république. Le pouvoir royal est tyrannique. Les Amérindiens sont doués de raison, la presse doit être libre, l'Église tenue à distance. Qu'un mur immense la sépare de l'État pour le bien de tous.

Fou d'Amérique, Axel feint d'ignorer que son leader libéral a souhaité que la sodomie soit punie de castration. Et si c'est une gouine qui a osé violer la sacro-sainte loi du coït à la papa, on lui découpera les cartilages du nez jusqu'à lui creuser un gentil volcan au milieu du visage.

L'année où la Pennsylvanie abandonne la castration au profit des travaux forcés, Axel est inscrit de force en économie politique à la médiocre université de Francfort-sur-l'Oder, une ville de maquignons et de marchands de grains, à deux pas de Regel, où quelques vieux professeurs pendus comme des lustres magnifiques n'ont pas donné de lumière depuis quarante ans. Ainsi en a décidé Elizabeth, afin que son cadet déjeune chaque dimanche dans la salle à manger oblongue aux glaces encadrées de lisses baguettes d'or, même si la vie dans la famille n'est pas la vie pleine, même si en présence de sa mère il doit se sentir frustré, diminué, distrait de lui-même.

Tout le monde autour d'eux sent bien qu'Elizabeth vient de commettre un crime d'éducation. D'ailleurs c'est à peine si elle s'en cache, mais elle veut faire de son cadet, sinon un ministre, statut qu'elle réserve en rêve à Wilhelm, du moins la crème du négoce. D'où ces études ridicules, de commis, où l'on n'attend de lui qu'une éloquence de robinet, et cette belle assurance qui fait venir les contrats, au lieu d'écouter son goût pour les lointains.

Elle ne veut rien savoir : Pourquoi se lamente-t-il ? Un excellent commerçant doit être un intrépide marin, il s'embarque muni de quelques phrases stéréotypées pour aller pêcher cinq ou six cent mille marks dans les eaux glacées des banquiers de province. Vous voyez bien que le pays des Iroquois est de l'autre côté de la rue !

L'économie politique s'occupe théoriquement d'enrichir à la fois le peuple et le souverain. Mais on enseigne à Francfort-sur-l'Oder, comme partout en Allemagne, la doctrine française des Physiocrates, tellement réactionnaire quand on a lu Jefferson : les terres sont sacrées puisqu'elles multiplient les grains de blé, les propriétaires de ces terres sont donc les bienfaiteurs de l'humanité, ainsi la propriété est-elle l'assise fondamentale de tout l'ordre social. Vive la terre, vivent les propriétaires, vive le roi !

Axel ne va pas mieux. Et même ça empire parce qu'à l'université de Francfort-sur-l'Oder, il n'étudie guère, il sort. Si on le jauge d'après ses capacités à enfoncer le pouce dans l'œil d'un adversaire ou à boire un litre d'une boisson forte puis à se lever et à sortir de la salle sans tituber, il doit être plutôt bien noté. Sa vie étudiante, c'est bagarres et mâchoires défoncées, bouteilles cassées et petits couteaux jaillis on ne sait d'où. Sans compter un nouveau délire de petitesse dans ses amours. Il suffit qu'on l'effleure, qu'on le touche comme il ne faut pas, pour qu'il cède. Ça peut être n'importe qui, ou presque. Il goûte des pénis chauds, légèrement vinaigrés. Il inhale des odeurs de sueur et d'urine. Dans sa chambre se succèdent de grands balèzes, des boules de muscles, des blonds à puissante voix de ténor, à l'haleine chargée de bière, au sourire cruel, aux hanches maigres, des gars à l'état pur, des sanguins, qui baisent pour baiser. Axel se démène comme une fleur somptueuse, une grande fleur humaine, et se soulage avec le premier venu, dans des trous, sous des porches défoncés et moisis, sur une pelouse balayée par la pluie ou dans des coupe-gorges immondes. Devant un type qu'il distingue à peine au milieu de la nuit, il se branle éperdument, juste parce que l'autre l'a regardé, la veille au soir, avec des yeux reconnaissants. Ou bien un voyou très physique aux ongles terreux qui lui fait déjà les poches, ou l'envie d'un petit soldat qui étale sous le magnolia les bazars de son désir. Leurs mâchoires de carnivores se plantent dans sa fesse et le mordillent. Axel ferme les yeux et avale n'importe quoi. Ces hommes, il les serre très fort, il se fond en eux, il les embrasse. Ce sont des contacts dégagés du sentiment, et pourtant certaines fois d'une grande délicatesse sexuelle, avec des décharges microscopiques de tendresse, des rafales de douceur, des instants d'étourdissement enfantin.

Axel est incandescent, il doit être malade. À dix-neuf ans, tout ce qu'un homme peut faire avec un autre homme, dans un lit, sur une table, contre un mur, dans l'encoignure d'une porte, ou dans l'herbe ou dans l'eau, il l'a fait.

Un jour que la ville universitaire est dans les nuages d'où dégringole de la neige dure, Elizabeth envoie Wilhelm prendre des nouvelles de son cadet. De l'espionnage pur et simple.

Jamais vu neiger si fort. Une bière pour rincer ça ?

Le délicat Wilhelm von Kemp égalise la braise de sa pipe avec l'ongle du petit doigt. Son cou serré dans un haut col est ceint d'une large cravate blanche épanouie en nœud sous le menton. Il y a des queues de billard au râtelier sur le mur de brique.

Prends-en une, propose-t-il, et faisons une partie, tu es trop abattu, mon ami, il ne faut jamais être aussi triste que son sort.

Échoué devant un bock vide, Axel s'est plongé dans une transe mystique, son index patine dans la mousse sale déposée sur la paroi. Si le frangin avait été un chic type, il se serait intéressé à cette mousseuse rêverie, et Axel aurait consenti à parler des côtes où les lames de l'océan claquent comme des salves d'artillerie, où des baleines blanches s'échouent dans les écueils, ouvrant une gueule dans laquelle on pourrait faire entrer deux ou trois barques, sous le vol des vautours à tête écarlate qui obscurcit le soleil.

Grouille, insiste Wilhelm, secoue-toi.

Axel le considère un moment. Ses mains tremblent quand il enduit de craie une queue dans un lent mouvement circulaire.

Toujours aussi coureur ? plaisante Wilhelm en essuyant ses fines lunettes argentées, il paraît que tu es sentimental comme un chien au clair de lune. Gaffe qu'ils ne te refilent pas des maladies. Avec ces détestables habitudes tu vas désespérer les actrices. Ce qu'il te faudrait, c'est une bonne petite passionnette, bien blonde, avec de gros seins.

Et tant pis si la fille n'est pas bien nette, de mauvaise vie, légère, pute, cocotte, du moment qu'il ne couche pas qu'avec des hommes, ce bon à rien de frangin de merde. Wilhelm en donneur de conseils. Wilhelm, toujours en humeur de moraliste, même s'il essaie d'adoucir ses propos par un sourire et un regard aussi fraternels que possible. Pure comédie. Pour d'obscures raisons émotionnelles, le fort en thème grec qui jongle avec les déclinaisons et les formes grammaticales les plus sophistiquées, régresse au niveau de la gouape, avec des intonations de voyou – et toute sa vie la chose s'avérera –, aussitôt qu'il s'adresse à son frère.

Quand est-ce que tu pars ? Ce tour du monde dont tu nous rebats les oreilles ? Qu'on puisse enfin fêter ça !

Axel serre les dents. Un muscle de sa joue soudain animé d'une pulsation. Les yeux agrandis et fixes.

En un instant sa chemise se mouille aux aisselles. Dans cet état il frappe la bille. Elle saute hors de la table et va rebondir sur le carreau, rebondir encore comme un chiot dans les pieds des buveurs.

Je partirai en avril, balbutie Axel.

Si tu emmènes tes petites lopettes avec toi, tu vas dépeupler le Brandebourg !

Wilhelm a juste le temps de fermer les yeux. Il ne peut ni se défendre ni se cacher. Valse des lunettes argentées. Puis la botte d'Axel le cueille au nombril et il se plie en deux avec un cri de fusillé.

Heureusement qu'il n'y a pas eu de problèmes, l'ami, heureusement que nous sommes toujours potes, conclut Axel en lui appliquant une petite tape sur la joue.

À deux pas de l'amphithéâtre, il y a un bouge à voyous qui grouille de beaux petits culs. Dans un décor de lourdes tables en bois sont assis des joueurs de tarot. Axel a envie de l'un d'eux : Ça me ferait plaisir d'aller avec toi.

Le joueur cligne des yeux. Il serre son jeu dans sa main et le pose sur la table en le faisant claquer. Au fond de la salle il y a un petit escalier et au premier des chambres.

Pourquoi on ne va pas plutôt chez moi ? dit le joueur. J'habite au bout de la rue. C'est pas formidable mais c'est toujours plus propre qu'ici et puis j'ai de quoi boire, de la bière que je sache, et un petit fond de schnaps il me semble. Viens.

Ils prennent le temps de s'asseoir sur le lit pour s'embrasser. Ils se touchent maladroitement, les yeux déjà à moitié fermés, béats dans la chaleur de leurs corps. Ils ouvrent un ou deux boutons de leur chemise pour se caresser la peau. Ils se lèchent la pomme d'Adam.

En effet il reste du schnaps. Mais vraiment un fond, tout juste quelques millilitres d'alcool bouillant. Axel flaire le goulot, fait la grimace, frissonne et avale. Il brandit la bouteille vide au-dessus de sa tête : Bon Dieu, j'avais oublié que c'était si mauvais. Je vais avoir mal au crâne.

Une romance, vous dis-je.

Gabriel étudie la théologie. Axel est dépourvu de tout sentiment religieux. Il croit à la toute-puissance des alizés, aux marées d'équinoxe, aux ouragans, mais jamais il n'a pu croire en un dieu, quel qu'il soit. Dieu ou pas, il est tombé amoureux fou de Gabriel. Il accepte de rester là, à l'écouter parler latin, bouche bée comme un imbécile pour ne pas le contrarier, il lui caresse les cheveux, il le tient par la nuque. Sa façon de marcher l'a fasciné, il n'a jamais vu une démarche aussi belle. Il lui jure un amour éternel.

Tout ce qui vient de toi, se rapporte à toi, se passe autour de toi, a de l'intérêt pour moi.

Ils vont au théâtre voir une pièce de Schiller. N'y comprennent rien parce qu'Axel ne cesse de se tourner vers Gabriel afin de contempler son visage avant de murmurer : Ça me fait tellement de bien d'être avec toi.

Gabriel a de larges yeux dévorés de luxure, et presque pas de poils, on dirait un enfant. Maintenant Axel est si amoureux qu'il débande sans cesse. Il souffrira pendant quelques jours de ces crises d'impuissance jusqu'au moment où, le visage écarlate, il laissera échapper : Écoute, ne crois pas que je sois toujours comme ça, c'est seulement que tu es si fantastique…

Gabriel s'endort sur la poitrine d'Axel qui ne dormira pas mais passera la nuit à prendre ses mains endormies dans les siennes, les caresser, en dénombrer les phalanges une à une entre ses doigts tremblants.

Un dimanche, ils vont se baigner. La première fois qu'ils entrent dans l'eau, nus, Axel pense à son père. Dans ce souvenir, il se trouve au bord d'une rivière avec quelques camarades d'armée de Georg et il plonge entre leurs jambes. Les hommes se tiennent debout, nus, pieds écartés, dans le lit peu profond de la rivière, riant aux éclats. Axel nage au travers des arches sous-marines que leurs jambes dessinent. Il essaie de retenir son souffle mais son excitation est trop grande, il doit remonter prendre de l'air.

C'est la clé de voûte de chacune de ces arches qui l'a sidéré. L'intérieur blanc de ces cuisses d'hommes nus, la chair de poule à la racine des poils éparpillés de leurs testicules.

En fin de compte, l'économie politique à Francfort-sur-l'Oder, c'est le paradis.

Rêveur.

Oisif.

Amoureux.

On y écluse bière sur bière.

On se fout du tiers comme du quart.

On se réveille avec du café fort et on apprend que ce café qui sert juste à vous dessoûler en attendant la bière suivante est composé de la sueur et du sang des esclaves.

Tout l'univers travaille pour vous, assure le professeur.

On se bâfre puis on apprend mollement que le kilo de sucre se paie le double à Rome. Et si on n'est pas trop stupide, on en déduit des considérations instructives sur le jeu des droits protecteurs et des impôts indirects, ainsi que sur les nécessités budgétaires qui ont fait conserver ce tarif prohibitif en Italie, malgré les conséquences fâcheuses qui en résultent pour la qualité de l'alimentation.

Vous remarquerez que là-bas les confitures constituent un dessert de luxe. Et quand on vous servira le café à Florence vous ne manquerez pas de considérer attentivement le petit nombre et la dimension minuscule des morceaux de sucre qui l'accompagnent. Observation futile et sans intérêt ? Certainement pas.

On fait alors un petit stage d'une quinzaine dans la péninsule pour comprendre les mécanismes qui régissent le prix du sucre.

Le merveilleux Gabriel est du voyage. Roucoulements de tendresse.

Ce ne sont pas les juges qui manquent dans cette Prusse d'avant l'aurore, chaque seconde d'une vie homosexuelle est saturée de condamnations, la vie d'éden ne dure jamais longtemps, il faut bien qu'un serpent cafte. Et ce serpent-là a toute la langue du brillant Wilhelm.

Maintenant Elizabeth sait tout.

Qu'il est de l'anneau. Que par hasard ou par plaisir il s'est plongé dans la débauche avec d'autres invertis émaciés, de jeunes blasés, une bande de chiens haletants. Jusqu'au jour où il croisera un souteneur qui lui apprendra à se farder, à adoucir sa voix, à se cambrer, à s'épiler intégralement. Et puis le trottoir.

Elizabeth écrit à Axel une lettre terrible : Je te préviens que ma responsabilité de mère m'interdira toujours de céder à tes désirs. La vérité est que ton âme n'est pas à la hauteur des énergies du présent, qu'elle se dérobe à leurs exigences. Te voilà mis en garde contre ton caractère et je te répète que tu as un besoin beaucoup plus urgent que les autres d'un appui moral solide. J'exige donc, dans ton propre intérêt, que tu rentres immédiatement à Regel.

Derrière un petit bois de bouleaux et une rangée de peupliers plus bruns, Berlin regarde vieillir Frédéric II, il pue le chien mouillé, sa tête est penchée à force de flûte traversière, il n'a plus personne pour lui parler français, Voltaire n'est jamais revenu, Diderot s'est bien gardé de passer par Berlin quand il se rendait à Saint-Pétersbourg, d'Alembert a refusé tout net la présidence de l'Académie. Il vit à peu près seul, il déteste Goethe et ses platitudes, il est cassé sous ce tricorne qui date de la guerre de Sept Ans.

Enterrez-moi simplement, sur la terrasse de Sans-Souci, avec mes chiens.

Le vieux Fritz sera exaucé : on l'enterrera en août à Sans-Souci, sans splendeur, sans pompe et de nuit.

La conquête de la liberté n'avait pas non plus été sans mal pour Frédéric. Même si cinq mille chandelles éclairaient la salle à manger du palais décorée de grandes glaces, sa jeunesse ne fut pas aussi lumineuse qu'un après-midi d'été. Plus d'un demi-siècle auparavant, il frisait ses cheveux, les laissait pousser, montait à cheval comme une poupée, le bruit de la poudre lui faisait peur. Il prit pour amant Henri Colomb, un lieutenant de vingt-six ans, qui tenait ce nom de découvreur d'ancêtres protestants français réfugiés de l'autre côté du Rhin après la révocation de l'édit de Nantes, et fondateurs d'une verrerie près de Potsdam. Dans leurs rêveries ultrafantaisistes ils projetèrent de s'enfuir ensemble. Le Roi-Sergent les fit intercepter.

Au point de vue physique la pédérastie me dégoûte à l'égal de la merde, et au point de vue moral, je la condamne.

Il traîna son fils par les cheveux et le fit traduire comme déserteur devant le conseil de guerre, après avoir d'abord songé sérieusement à le faire exécuter, comme Pierre le Grand pour Alexis en 1718. Frédéric fut jeté en prison, Henri dégradé en public et torturé.

Un matin, les geôliers de Frédéric le poussèrent jusqu'à la minuscule fenêtre de sa cellule : Votre père vous ordonne de regarder dans la cour.

Frédéric aperçoit son amant entouré de soldats. Quand il comprend, il hurle. Henri refuse qu'on lui bande les yeux. Il regarde Frédéric. Les deux garçons se crient en français des phrases d'adieu. La hache s'abat, la tête d'Henri roule sur le sable. Frédéric s'évanouit.

Ou tu te soumets, ou tu renonces au trône, tu n'as qu'à choisir.

Frédéric passa les dix années suivantes à dissimuler, filant doux, attendant son heure et apprenant son métier de roi, avant de retourner, mais alors avec quelle liberté grandiose, avec quelle impériale inventivité, aux grenadiers géants et à l'amour grec.

Dans un poème d'amour au lieutenant Colomb, il déclarait que l'ambition et la haine sont les seuls péchés contre-nature. Et pas le désir d'un homme pour un autre homme.

Henri Colomb était le père d'Elizabeth. Ce qui explique sans doute qu'elle n'ait jamais eu d'oreille pour entendre ce genre de poésie.

Tandis qu'il observe la lettre de sa mère qu'il vient de recevoir, Axel a posé sa pipe sur son pupitre, retournée et refroidie, avec un peu de cendre répandue autour d'elle, devant ses avant-bras croisés, ses avant-bras roses aux poils blonds, avec une cicatrice ancienne de brûlure en forme de fouet. Il est complètement immobile devant le manuel d'économie rurale sur lequel est posée la lettre, pliée par le milieu et maintenant rouverte. Il a l'air de la lire en boucle, le visage pensif, presque morose, ce qui n'a rien d'étonnant.

C'est pourtant elle qui m'a parlé du grand-père Colomb pour la première fois, murmure-t-il.

Et c'est vrai. Quelques années auparavant, Elizabeth lui avait raconté tout cela d'une façon agréable, anecdotique presque, d'une manière bien trop détachée et impersonnelle pour être honnête, seules ses narines se dilatant donnaient la mesure réelle de la violence qui la tourmentait.

Axel ne bouge plus, pas même pour lever la tête et tenter de suivre du regard le professeur toujours poussiéreux comme s'il était né et avait vécu toute sa vie dans un office plein de bordereaux bancaires du siècle dernier. Le vieux cambiste fait les cent pas dans l'amphithéâtre et s'est lancé dans une étude comparative des monnaies suisse et autrichienne, un sujet trop imbitable pour tirer le garçon de cette rêverie fascinée au-dessus de la lettre dépliée qui repose sur le manuel ouvert.

Il pense à Henri Colomb, ce grand-père de vingt-six ans, follement aimé de Fritz, il a toujours eu pour lui de fraternelles pensées, il les imagine, lui et son royal amant, assis devant le feu avec le champagne et un quartier du dernier gros gibier qu'ils ont tué, puis l'amour et enfin l'aube.

Il les a aperçus une seconde, à la flamme d'un des fusils de chasse. Henri, le visage penché, une seule joue lumineuse, un menton entrevu un instant derrière un rideau de cheveux retombés, un bras mince levé, une main délicate crispée sur une baguette de fusil, et c'est tout.

Son problème à Henri Colomb, c'était son innocence.

Tout à coup ce ne sont plus des pensées mais quelque chose en Axel qui crie presque assez fort pour que les étudiants sur les bancs et le professeur qui remplit tout l'amphithéâtre de ses affirmations économiques puissent l'entendre aussi.

À la fin de la journée, en rentrant de cours et après qu'un copain très ivre est finalement parvenu à lui laisser une place à la table de l'auberge qui porte les plumes et le papier, Axel s'apprête à répondre à sa mère. Il rêve depuis longtemps de lui écrire ceci : J'ai le regret de vous annoncer que votre fils a été laissé pour mort, les yeux écarquillés par l'explosion d'un baril de poudre, l'uniforme en loques, sur une plage du Brésil, victime peut-être d'un naufrage ou d'un règlement de comptes.

Je n'en aurai jamais le courage.

Une lettre plus convenue touchera Elizabeth une dizaine de jours plus tard, qu'elle va brûler, penchée sur l'âtre et fulminant après ce fils qui tente de conclure un arrangement, en lui proposant cette fois de se débarrasser de lui avec de l'argent.

IV

Les Colomb s'étaient toujours distingués, non seulement par leur fortune et leur goût du commerce, mais par l'histoire singulière de leur sexualité. Disons pour simplifier qu'ils s'étaient consacrés, de père en fils, à célébrer la diversité sexuelle. Ils étaient tous enterrés à Regel, dans le caveau familial, et il n'y avait donc pas à craindre qu'Henri le décapité ne communiquât sa maladie débauchée aux âmes des autres morts, puisqu'ils l'avaient tous contractée un jour ou l'autre, l'antique malédiction, fébriles, passant soudain à l'acte avec les garçons d'écurie, les boys, les palefreniers, puis, graduellement si l'on peut dire, car cela ressemble plutôt à une chute, avec les soldats, les lutteurs, jusqu'au bouge où le plaisir brutal s'achète au prix du sang dans d'épouvantables soûleries.

La pauvre Elizabeth ne représente qu'un rameau grisâtre et affreusement conventionnel de cet arbre libertin, comme si la fantaisie avait sauté à pieds joints par-dessus sa génération pour accabler son cadet, mais alors d'une dose carabinée.

Les épouses des Colomb, bien que tourmentées par le flux et le reflux de cette mystérieuse énergie qui éloignaient d'elles le sexe de leur mari, tendaient pourtant à minimiser le phénomène en se persuadant qu'il s'agissait d'un état d'âme, d'une humeur, d'une phase, voire d'une mode. Apparemment elles voyaient encore dans ces lubriques épaves la noble silhouette d'autrefois, celle de leur homme.

Ah, tu as encore sacrifié à la nouvelle mode, disait la mère d'Elizabeth d'un ton léger à Henri Colomb, qui rentrait épuisé de Sans-Souci, fou d'alcool et d'amour, et s'étendait tout habillé sur leur lit, avec ses bottes de cheval boueuses, la tête penchée de côté, le visage enflammé, les yeux dans le vague ; et bien qu'il restât vautré ainsi, comme paralysé, respirant à peine, pendant des heures, ce n'était toujours qu'une "mode" aux yeux de la mère d'Elizabeth.

Axel quitte Francfort-sur-l'Oder, du jour au lendemain, sans laisser d'autres traces que des larmes incroyables. Le fils de famille traverse le Brandebourg sur son étalon noir, très droit dans son manteau gris, quelques pièces d'argent valsant dans sa poche. Il ne crâne plus autant qu'autrefois, non parce qu'il est éprouvé par le malheur, épuisé ou même harassé par la perte de Gabriel, mais parce que même en chevauchant il continue d'être plongé dans une rêverie de voyage tropical, et cette rêverie exotique l'apaise au point de l'abrutir.

De petites pattes légères sautillent sur son visage. Il pleut. On n'entend plus les aboiements des paons et des cigognes. Les bouleaux sous la pluie. Sur la pelouse, un brouillard ténu estompe la statue de l'Espérance. Un petit chat avec un collier rouge lui renifle les jambes.

Axel est de retour à Regel, le château blanc et lisse, avec sa porte blanche et lisse à ornements de bronze, flanquée de valets en bas de soie.

Il franchit ce seuil étranger, cette limite irrévocable, non pas traîné de force mais poussé, aiguillonné par la sévère et implacable présence d'Elizabeth. Et ce malaise quand elle lui parle.

Je ne supporte plus cette boule à l'estomac, je ne supporte plus de te regarder en face.

Et elle, sirotant son thé, le zeste tournoyant dans sa tasse : Je ne t'ai obligé à rien, n'est-ce pas, t'ai-je menacé avec un pistolet ?

Il n'a toujours aucune idée de la manière de résister à cette petite femme desséchée, pas beaucoup plus grosse qu'une guenon et qui pourrait avoir n'importe quel âge, mais sans un cheveu blanc.

Je suis peut-être incapable de me détacher tout à fait d'elle. Celui qui est né et a grandi sous une cloche à plongeur capitonnée de soie n'a guère de chance de faire plus que rêver au grand océan, pense Axel en rendant au palefrenier les rênes de l'étalon, au lieu de tourner le dos à l'écurie et de piquer des deux dans la direction de l'Atlantique.

Gabriel, Rome, tout son univers familier s'est dissipé autour de lui comme une fumée. Il sait déjà que Gabriel ne lui écrira pas. Qu'ils ne se reverront jamais. Et pourtant il n'a pas opposé de résistance, est revenu docilement vivre aux côtés de sa mère farouche. Il s'est tapi dans sa cage. Il est retourné au jardin botanique.

À genoux dans le sable de la serre il se paie des prostitués qui ont les cheveux de Gabriel.

Dix ans plus tard, dans la pampa, dans les plaines grises d'une solitude sans borne, avec l'horizon qui bleuit dans le lointain et les ombres des nuages qui glissent sur les herbes sèches, il comprendra enfin ce que signifie rentrer chez soi, dans un *home* qui est bien davantage son chez-soi que toutes les autres demeures qu'il a connues – que le château de Regel.

Le cri de l'oiseau sauvage percera Axel jusqu'au cœur. Jamais entendu ce cri, et pourtant il lui sera plus connu que la voix de sa propre mère.

Bien sûr que le château est hanté. Rien de bien extraordinaire, seulement des pas dans les couloirs vides, des gémissements venus de nulle part et que les domestiques attribuent au pauvre Henri Colomb, tenant sous son bras sa tête coupée.

Mais il y a plus inquiétant encore que les revenants : ce sont les petits putains d'Axel von Kemp. Elizabeth en a une peur atroce, à tomber folle. Cette histoire lui met les nerfs à vif. Elle a chassé une domestique, non à cause de sa grossesse, dont Wilhelm était sans doute responsable, mais parce qu'à la question fille ou garçon, la servante avait osé lui répondre, peut-être d'ailleurs en toute bonne foi : J'aimerais mieux une tante, c'est plus joli.

La première fois qu'Elizabeth surprend Axel avec un amant, c'est le lendemain de son retour. Elle frappe à la porte de sa chambre et l'ouvre, puis recule. Il n'y avait pas eu le moindre changement, la moindre altération dans l'expression de son visage calme et glacé depuis des années, depuis qu'elle avait rencontré Dieu, mais là ses yeux lui sortent de la tête pour repousser la scène. Ses narines se pincent, le soulèvement de sa poitrine pourrait alarmer un régiment de cardiologues, elle bat à 180. Finalement elle pousse un tel cri que ses deux chiens qui rappliquaient, rapides comme de la fumée, se roulent à ses pieds en une boule unique, tremblante. Elle a lâché sa chandelle. La cire fondue se solidifie aussitôt sur le marbre. Tous les êtres vivants en font autant. Le petit putain décharné et blanc de poudre lève les yeux vers la sombre femme et se pétrifie. Les mains d'Axel se raidissent sur les fesses de l'amant. On reste figé, bouche ouverte dans une attitude identique. Et pourtant ça ne sera pas ce scandale auquel on s'attend, ça ne sera pas l'insurrection ni la terreur, personne ne va se précipiter toutes griffes dehors sur un visage honni à lacérer. C'est seulement je ne sais quel trop-plein accumulé du désespoir même.

Va-t'en, dit Axel au putain en le repoussant d'une main.

Il faut le payer tout de même, remarque Elizabeth dans un instant d'effort surhumain.

Les deux lunes de ses lunettes reflètent la lumière de son fils. Axel est debout devant elle, à moitié nu, une superbe créature à crinière blonde tirant sur le roux, au masque tragique de jeune dieu scandinave, et tout ce qu'elle trouve à penser devant cette merveille c'est qu'au matin la chambre de ce fils démoniaque sent le lazaret, le marécage et le cimetière et qu'il faut que ça cesse.

Mère et fils échangent des regards brefs, secs et hachés comme des phrases, va te faire pendre ailleurs, crève où tu voudras, se frappant tour à tour, sans essayer ni l'un ni l'autre de parer les coups. De part et d'autre des yeux éperdus, désespérés mais indomptables.

Frédéric-Guillaume II aime les femmes. Mais s'il est capable d'enrichir la virilité de son pays, il lui manque la jugeote. Dès son accession au trône il s'est empressé de nommer un prêtre Rose-Croix au conseil des finances du royaume : qui, mieux qu'un alchimiste, peut faire affluer l'or dans les caisses de l'État, je vous le demande.

Des fantômes, il en vient de partout, des esprits, des spirites, des mages, et même Swedenborg, le ravi, qui converse avec les anges. Voilà où en est la raison, un peu malmenée. L'imagination décolle et c'est dans l'air du temps.

En 1788, Elizabeth von Kemp a fini par inscrire son cadet à l'université de Göttingen, sous la surveillance permanente de son aîné.

À Göttingen, Wilhelm et ses amis poètes emploient les mêmes expressions ampoulées pour demander du feu ou vous offrir un cigare, ils négligent ouvertement l'étude de l'arithmétique et de l'algèbre puisque les problèmes de la vie humaine sont infiniment plus complexes, on ne les résout provisoirement qu'à l'aide d'aperçus et de suppositions qui n'ont rien à voir avec la marche infaillible du calcul.

Les sentiments et le génie, voyez-vous, ne sont pas susceptibles de démonstration.

Bref, l'écart entre les frangins n'en finit pas de se creuser. Wilhelm est déterminé à favoriser en lui la fonction corrosive des mots et à y consacrer sa vie professionnelle. Le goût de la chair conjugale ne lui viendra que sur le tard, avec une certaine Caroline, couverte de taches de rousseur, et qui n'est pas encore son genre.

Axel, lui, désire de plus en plus affronter la réalité dans un domaine où les mots ne jouent aucun rôle : l'éruption d'un volcan, les grandes marées se passent de grammaire.

Ce dont tu rêves, en quelque sorte, c'est d'être violé par la réalité, lui suggère Willdenow, un petit jeune homme aux yeux de fauve, botaniste de vingt-huit ans à pied bot, mais déjà archicélèbre pour une *Flore berlinoise* en cinq volumes.

Assis les jambes croisées, mâchouillant une tige de graminée, Axel bougonne : Pas n'importe quelle réalité. Disons qu'être malmené par les eaux sombres et limoneuses d'un fleuve d'Amérique centrale me semblerait le paradis. Et si je n'avais plus qu'une heure à vivre, j'aimerais autant que la chose se passe sous les yeux d'un puma.

En Amérique centrale, on trouve surtout des tamanoirs, dit Willdenow qui dessine sur une espèce de petite écritoire appuyée sur son ventre. Ou des tapirs. Et quelques espèces de coléoptères que je n'ai eu la chance de contempler qu'en cabinet. Et bien sûr des cinéraires, et des orchidées dont les quinze mille espèces te donneraient du fil à retordre. Sans compter les fleurs de la passion, en quantité, leur ovaire est porté par un long pédoncule qui contient le nectar, tu devrais voir ça.

Qu'il est reposant ce Willdenow, il n'est pas rêveur pour un sou ! Sur l'Olympe, il ne verrait que les sapins et cette espèce particulière d'hellébore noire qui lâche ses fleurs blanches en plein hiver. Du Christ, il s'en fout également. Qu'on lui donne le saint suaire, et s'il se met à genoux devant, ce sera pour y chercher comme un chien, ou plutôt comme un cochon à truffes, quels pollens on y repère. Il fera peut-être même l'hypothèse que telle espèce de chardon entre dans la composition de la couronne d'épines. Car une épine, ça n'est pas juste un instrument de torture sacrée, mais un âpre bout de nature.

Attentif comme un renard empaillé, Axel boit ses paroles. En outre il l'imite. Il le copie dans tous ses gestes et même dans sa tournure d'esprit. Il ne sait pas aimer Willdenow autrement qu'en vivant la même vie que lui, en apprenant tout de lui : la vivisection des grenouilles ou le fait que les insectes n'ont pas de sang. Apprendre quelque chose de quelqu'un, c'est en être possédé charnellement, au moins durant le temps de la leçon.

Il ne me désire pas, pense Axel.

Et pourtant ils ont déjà tout : la puissance et la douceur de la vie commune autour des herbiers, le charme de l'intimité partagée, quasi familiale, dans une forêt de fuchsias et de bégonias tubéreux, l'apaisement infini qu'on éprouve à la présence quotidienne de l'autre, dans ses gestes à la table chargée de dossiers et de chemises en carton, dans ses préoccupations concernant les bulbes et les semences.

Axel est tombé réellement amoureux de Willdenow. De toute manière il était prêt à s'accrocher comme une tique au premier venu qui ne serait pas sur ses gardes.

Le célèbre Willdenow, on l'a vu, n'est pas le premier venu. En outre il est sur ses gardes. C'est un chaste, un vrai. Par conséquent un de leurs grands sujets de conversation est l'amour, et plus précisément, car cela occupe beaucoup les jeunes Allemands de l'époque, les impasses des rapports entre les hommes et les femmes. Ils en rient, mais tout n'est pas drôle cependant.

Au cours d'une promenade, Willdenow confie à Axel ce qui l'a décidé à vivre seul. L'an passé, il était en couple avec une femme de dix ans son aînée, veuve, qu'il aimait pourtant, mais qu'il avait fait beaucoup souffrir. S'être découvert une âme de tourmenteur suscita en lui une horreur indépassable et définitive.

Les femmes, quelle importance en vérité puisqu'au jardin il y a du sexe partout! Linné voyait les étamines comme des maris et les pistils comme des épouses, d'où les fleurs amantes, les fleurs concubines, un vrai bordel au potager, des transports violents explosant en orgasmes poussiéreux, les partouzes des boutons-d'or, la tulipe qui a six amants pour une seule maîtresse... En botanique, la monogamie est plutôt une exception. Partout du sperme qui vole.

En effet, Axel le constatera, la description exacte d'une fleur comporte une grande jouissance. Étudiant sous le microscope cet être minuscule, on voit que chaque trait de sa structure se trouve déjà confirmé par le texte d'un excellent observateur, qui peut être Jean-Jacques Rousseau ou Pitton de Tournefort. Bref, un passe-temps de choix pour les désespérés : de choses déversées au petit bonheur au milieu des brins d'herbe il s'agit de faire un monde ordonné, de parvenir à nommer l'espèce et à lui assigner sa place dans le système de Linné. C'est peu de chose semble-t-il, mais pour Axel ce minuscule bonheur est déjà devenu toute sa vie.

Chez Willdenow, qu'on pressent déjà pour diriger le Jardin botanique de Berlin, où il régnera sur trois cent mille sujets, épinglés, rangés par genres et familles, le tout étiqueté en latin, il a vu pour la première fois des plantes tropicales. Séchées, bien entendu, mais tout de même des plantes venues de très loin, avec des excroissances curieuses, des antennes, des bourgeons qui ressemblent à des yeux, des feuilles dont le dessous est exactement la peau de Gabriel. Il lui semble les avoir déjà vues dans ses rêves.

Willdenow les dissèque, en fait des croquis minutieux, verse des acides dans leur sève, note la réaction, et les traite soigneusement en vue de prolonger leur conservation dans son herbier.

Ce soir, une vieille servante en tablier blanc a passé la tête dans la porte : Messieurs ont-ils bien jardiné aujourd'hui ? Ah si seulement vous étiez de vrais jardiniers, avec des cals aux mains et un chapeau de paille, vous seriez moins pâlots et vous sauriez me dire si je dois prendre un parapluie avant de sortir.

Axel a vingt ans au milieu des fleurs. C'est en 1789, sa mère donne un bal pour le marier au plus vite, un de ces bals de septembre, pluvieux, interminables, où des serviteurs blonds, conspirant, le regard en coin, avec de sempiternels chuchotis, poussent des chariots d'alcool vers des officiers tout cousus de cicatrices.

Parmi les invités d'Elizabeth il y a un compositeur furieusement antipathique qui ne dit bonsoir à personne ; un chauve extasié devant une fillette jouant de l'harmonica de verre ; un journaliste, du genre à confondre son pauvre petit fauteuil de rédacteur avec un baril de poudre, qui lit posément une revue de littérature mièvre en allumant un cigare, alors que la Bastille c'était avant-hier ; et bien sûr un nombre exorbitant de jeunes filles à marier, avec de grands yeux bleus, Satan sait si bien se déguiser.

Un nombre à peu près égal de jeunes gens ne les regardent même pas et discutent entre eux, absolument pas de la chute de la Bastille, la France est si loin, la politique extérieure, la diplomatie ne les concernent pas, ils pratiquent plutôt le billard et les chevaux, viennent de se raser vite fait, encore collants de crème mentholée sur le cou ou sur le lobe d'une oreille.

Axel non plus ne regarde pas les filles. En guise de tenue de soirée, il porte une redingote de bure blanche, ses longs cheveux blonds sur les épaules, et pas de gants. En outre il s'est apparemment brossé les dents avec les doigts et, au grand dam d'Elizabeth, n'est absolument pas rasé.

Wilhelm, toujours en train de le provoquer, toujours en train de l'ennuyer, se goinfre de pâtisseries en compagnie d'une brunette qui a taché sa robe, proteste, rit, s'enfuit en caquetant.

Tu ressembles à un dompteur de chimpanzés, fait Axel en passant à hauteur de son frère.

L'autre ne relève même pas, il drague avec tant de concentration zélée qu'Axel n'existe pas, le bal n'existe pas, ce frère qui se moque de lui n'existe pas.

Et Axel l'envie. Il essaie lui aussi depuis longtemps de ne penser à rien, de se payer le luxe d'avoir la tête vide. Peu après, il sort prendre l'air. Quelque chose l'a appelé au dehors. Peut-être ce vol de cygnes au-dessus des cèdres, leurs longues silhouettes laborieuses dans la pleine lune.

Un petit sentier en gradins monte jusqu'à un rocher au milieu des bouleaux.

Willdenow est déjà assis sur le rocher. Il a emporté son verre et une bouteille de pommard. Sur sa tête mince ne brille déjà plus qu'un petit nombre de cheveux clairs, et son corps est si chétif, si consumé, si transparent qu'il semble tout esprit, et qu'il a déjà l'air d'un symbole de fleur.

Quelle heure est-il ?

Pas loin de onze heures, fait Axel en secouant sa chevelure. Il passe ses doigts dans ses boucles et reboutonne son gilet : Excusez le caractère désordonné de ma tenue, mais je ne me sens pas vraiment humain en ce moment.

Vous avez la mine de quelqu'un qui a traversé des catastrophes. Je sais ce que c'est que de traverser sain et sauf les catastrophes…

Je crois avoir bel et bien fait naufrage, dit Axel.

Alors agrippez-vous fermement à la planche, et chassez de votre esprit les malles et les caisses que vous avez perdues… ou cru perdre. Vous n'avez qu'à vous installer confortablement sur cette planche de salut. Vous installer si douillettement qu'à la fin vous croirez que la planche elle-même était la nouvelle terre !

Je ne vois pas bien où est le salut, bredouille Axel.

La botanique bien sûr, la botanique. Les plantes sont increvables. Elles savent réparer leurs blessures, elles couvrent leurs plaies d'une nouvelle écorce. Et c'est reparti. Les pyramides d'Égypte s'en vont en poudre mais les graminées du temps des pharaons subsistent encore. Accrochez-vous à un brin d'herbe, la tempête finira bien par passer. Mais, si j'en crois votre mère, vous n'avez reculé devant aucun écueil… Votre frère y serait-il pour quelque chose ? Vous semblez quelque peu brouillés…

Non. C'est un brave gars. Il a simplement des choses à faire. Et moi, rien.

Il est sans doute le chouchou de votre mère.

Ça oui. Ça ne fait de doute pour personne. On le sait. On l'accepte. Y a même pas de compétition. C'est ainsi. Il a deux ans de plus que moi. Ça ne fait pas une telle différence. Mais il a vu des sommets, je veux dire des sommets intellectuels, que je ne verrai jamais.

En tout cas il sait son grec. Il faut le reconnaître.

Pas de doute là-dessus. Je l'aime bien quand même.

Je suppose qu'il est venu au monde comme ça, remarque Willdenow, il n'a rien à apprendre.

Pas comme moi.

La seule chose que vous soyez bien incapable d'apprendre c'est à ne pas foutre en l'air votre vie rien que pour le plaisir.

Des chauves-souris tournoient autour du rocher et le ciel au-dessus de la forêt est rouge sang. Axel regarde au loin entre les bouleaux. Il se sent creux à l'intérieur : Je voudrais partir enfin, soupire-t-il.

Willdenow éclate de rire : Non, ne partez surtout pas, vous n'êtes absolument pas prêt. Et ce n'est pas une question d'argent. Votre croissance est bien loin d'être achevée. Vous n'êtes prêt à rien. Pas plus à vous suicider qu'à prendre la mer.

Alors ce n'est pas la peine que j'essaie de dégotter un pistolet, dit Axel en hochant la tête.

Il garde les yeux fixés sur le garçon boiteux qui se lève péniblement du rocher, avec la bouteille et son verre à la main. En dépit du *Werther* de Goethe, qui a tellement mis en vogue les sentiments exaltés que personne en Allemagne n'ose plus se montrer sec et froid, et même si c'est sa nature, Willdenow a son habituel visage de marbre.

Allons faire un tour aux écuries. Je veux voir ce poulain dont votre mère m'a dit le plus grand bien.

Montrez-le moi. J'ai besoin de vie. Malgré votre jeune âge, vous puez la mort.

Ce que l'athlète du système de Linné ne lui dit pas, c'est qu'il a senti, chez ce gosse faible et pâle, une fébrilité, une urgence qui signalent sans aucun doute qu'il est en train de brider atrocement une sexualité intense.

Affectivement sous-alimenté.

Mais Willdenow est désormais un pisse-froid. Le sexuel, s'il n'est pas étamine ou pistil, il s'en méfie. Tout son désir est contenu dans un musée d'un millier de tiroirs avec chacun son nom en lettres argentées, avec des dates, des lieux, des pétales, mais certainement pas de regrets.

Votre mère a bien raison de ne pas vous laisser filer aux Indes occidentales. Finissez votre année à Göttingen, puis allez à Paris, de ma part, Elizabeth ne s'y opposera pas, j'ai l'oreille du monarque et de toute l'Académie de Prusse, j'en réponds, laissez-moi faire. On a pris la Bastille. Voilà qui devrait vous donner à penser, si toutefois vous n'êtes pas complètement irresponsable. Je vais parler de vous à un grand ami. Vous irez avec lui. Et si là-bas vous vous ennuyez vraiment trop, vous pourrez toujours nous rédiger un *Voyage de Paris à Saint-Cloud par mer et par terre.*

V

Par la grâce de Maupertuis, prussien d'adoption, la terre est une mandarine aplatie aux pôles, non pas effilée aux deux bouts comme le voulaient les Cassini, peut-être amateurs de seins en poire. Il est devenu urgent de mesurer cette terre dans toutes ses nouvelles dimensions. La Condamine n'a pas été au Pérou pour la beauté des poteries, en fait il partait mesurer trois degrés de méridien. Et si Maupertuis s'est fait de petites amies chez les sauvages de Laponie, dans l'horreur et la féerie de la longue nuit polaire, c'était pour mesurer lui aussi un arc du méridien terrestre.

Mesurer la terre pour comprendre où l'on habite. Pour calculer des routes plus justes sur les océans. Et même si l'on sait maintenant que le continent austral prétendument riche et merveilleux n'existe pas, qu'il n'est rigoureusement que glace et manchots, ça vaut quand même le coup de refaire les cartes d'Europe, ne serait-ce que pour les guerres, n'est-ce pas, élire des champs de bataille idéaux, marquer d'une croix des frappes chirurgicales.

Durant son dernier hiver à Göttingen, Axel s'initiera tout seul à la cartographie. C'est là qu'il va chercher refuge, alcool fort, signifiance. Dans un état d'ébriété heureuse, et plus affairé qu'une chenille, il bouffe des livres de géométrie, de relevés, d'arpentage. À l'heure qu'il est, son Jefferson est en train de mettre un continent tout entier au carreau, il domestique l'Ouest sauvage avec des expérimentations de pure géométrie, créant tout bonnement l'Amérique à partir d'un royaume de castors, à l'aide de tracés régulateurs, de figures géométriques strictes, à coups de quadrilatères, de lignes et d'angles droits. Il a suffi qu'un petit malin pose sur ce chaos une grille aux contours implacables comme le destin. Et moins les hommes en savent à propos d'un territoire, plus rectilignes encore sont les lignes qu'ils tracent, droit au travers des rivières, des montagnes, sans fioritures, sans souci d'héritages, de grandes familles, de religions, c'est fabuleux.

Voilà comment on fabrique un pays sans guerres, mesuré par la raison, jamais de problèmes aux frontières puisque tout est neuf, le pays comme les gens. Aux assauts de rage des rois, opposer la règle et le rapporteur. Aux murs fondateurs préférer mille fois un territoire purement mathématique. Et bientôt des villes hygiéniques, où chaque pâté de maison sera entouré de quatre jardins, où chaque maison donnera sur un jardin. Voilà la libre cité de la démocratie. Sans cela nous deviendrions aussi corrompus que les Européens, entassés les uns sur les autres.

Il est clair que s'il n'avait fait qu'étudier les finances publiques, Axel se serait vidé de son sang en quelques mois. Jusqu'à la fin de l'année universitaire à Göttingen, il ne s'occupera donc que de liquidités : l'argent et l'océan à venir, la seule différence étant que des professeurs compétents, parfois souriants, dirigent ses expéditions dans le numéraire mais, pour l'embarquement, tintin, rien ni personne, sinon les rêves d'envol et bien sûr Bougainville et Cook, ces deux Atlantes qui ont toujours soutenu son monde intérieur menacé de désolation.

Le bonheur est une idée toute neuve en Europe. N'en déplaise à la Grande Catherine, qui ne croyait pas au talent des cordonniers pour le gouvernement et la législation, le peuple de Paris s'est levé. Sous les quolibets, il est vrai. Que veut-il donc, le peuple ? On s'attend évidemment à ce qu'il pille les boutiques et saccage les boutiquières, ce serait bien normal. Quand le peuple se lève ne doit-il pas avoir un but digne de lui ?

Axel étudiait et buvait beaucoup, à Göttingen, quand les savetiers ont pris la Bastille. Pour sa liberté à lui, il faudra encore patienter. Mais il n'en peut plus d'attendre. Il est tendu, fébrile, excessif. Quand il parle, c'est à toute vitesse, articule en ivrogne, on le comprend à peine. Quand il rit, ses yeux sont si pleins de larmes qu'il pourrait aussi bien pleurer. Quand il est là, il prend toute la place, ses larges épaules enlèvent aux autres tout l'espace de la pièce. Il est encombrant. Il est trop nerveux. S'il veut tourner légèrement la tête, les muscles de son cou se tendent comme s'il était en train de lancer le disque sur un stade. Il est dépassé par ce qu'il y a en lui d'excessif et de si puissant. Bien sûr il ne trouve plus le sommeil. Les nerfs. Ça volette sur la peau, pèse sur l'estomac, picote la racine des cheveux. Parfois il somnole, puis un coup de canon le réveille, au cœur, et c'est comme s'il retombait de très haut sur son matelas, avec un petit cri accablé.

Les cours autant que le climat dépriment l'adorateur de la nature. Axel se languit de son dragonnier de quatre mille ans, au lieu du bois rance des bancs, dans l'amphithéâtre.

À Göttingen ce qu'on peut lui offrir de plus antique remonte à la guerre de Troie. C'est déjà pas si mal. Il va suivre avec Wilhelm les cours de philologie du professeur Heyne. Grave et raide, le vieux sage donne l'*Iliade* mot à mot dans la langue millénaire. Et quand il annonce qu'Homère n'existe pas, que le vieil aède avec sa taie sur l'œil n'est en fait qu'une cohorte bigarrée de types plus ou moins talentueux, et peut-être même de femmes, alors c'est à en chialer. Axel, ça le révulse. Si Homère est mort, alors où sont les anciens Grecs ? Pas dans une vaste bibliothèque de manuscrits poudreux, mais une sarbacane à la lèvre, dans les forêts d'Amérique équatoriale. Voilà où vivent aujourd'hui Achille et Hercule. Il n'y a plus que les sauvages qui soient forts et jeunes.

Willdenow a tenu parole, et un soir, dans un café sombre, il était temps, voilà un type au visage grêlé par la variole qui demande à voir Axel von Kemp. Il a le visage et les mains hâlés, les cheveux sommairement coupés, il a l'air de quelqu'un qui sort tout juste de l'armée ou de prison.

Axel, c'est celui qui est un peu pompette, là-bas.

On lui désigne ce jeune homme qui sourit mollement, un pli de tristesse entre les yeux, s'apprête au dîner silencieux, s'attache du regard au balancier pour se laisser bercer par l'infaillible chronique de la pendule noire qui sonne tous les quarts d'heure. Aucun rêve prémonitoire n'a averti Axel que Georg

Forster allait pousser la porte, Forster, ce vieux gamin de dix-sept ans qui accompagna Cook à son deuxième voyage en qualité de dessinateur, chargé de reproduire les images des plantes et des animaux des îles polynésiennes et de Nouvelle-Zélande.

Voilà, ils ont tout de même fini par se rencontrer.

Quand on fait les présentations, Axel manque se trouver mal de bonheur. Forster allonge le bras, sourit de toutes ses dents gâtées par le scorbut et tapote la joue d'Axel du bout de son index. Une chaude et longue main pleine de vie.

Vous, mon petit vieux, vous êtes tout pâle. Dites, patron, vous n'auriez pas un coup à boire caché quelque part ?

Ils finissent tous les deux la soirée devant une bouteille de cognac et ils chargent la mule sans qu'il soit une seule fois question de Cook : aux yeux du Forster de quarante ans, la Révolution française est désormais le seul continent qui vaille qu'on le découvre.

Le globe-trotter est en cale sèche depuis l'échec de son projet d'expédition russe en Inde et dans le Pacifique. La Grande Catherine avait pourtant promis. Il y avait cru. Mais elle a des scorpions dans les poches. En outre la guerre contre les Turcs. Dans l'attente d'une nouvelle occasion en or, on l'a nommé bibliothécaire à l'université de Mayence, poste qui a pour seul avantage de le placer à deux pas de la France. Tout comme pour les transformations obstinées du corps chitineux d'un insecte, il suit par le menu les métamorphoses de la Révolution. Il dénonce l'oppression absolutiste et féodale de la Russie, de l'Allemagne. Et les Polonais, n'en parlons pas, carrément du bétail.

Au lieu des finances publiques, ce seront donc les marches dans la campagne, les discussions qui se déploient, interminables. Göttingen n'a jamais été aussi vaste, aussi incommensurable, aussi prodigieusement vivante et pleine d'attraits, de surprises, d'énigmes et d'anecdotes que depuis qu'Axel en fait le tour à pied, en une heure à peine, mais au bras de Forster, et tous deux déchaînés.

À cheval sur une chaise, dans un cercle d'admirateurs qui écoute Forster faire après minuit de la politique-fiction, Axel écoute comme les autres, mais il rit plus fort.

Quand on tire un coup de pistolet dans une rue de Berlin, on paie trois thalers d'amende, et quand un jeune père veut faire insérer ces lignes dans la *Gazette* : J'ai la joie d'annoncer à mes amis et connaissance que ma femme vient d'accoucher d'un garçon beau comme la liberté, le censeur prussien attrape son crayon rouge et efface liberté. J'en sais quelque chose car ce jeune père c'est moi. Qu'en dites-vous ?

Forster fait de grands gestes avec la main gauche, non pas comme s'il déclamait des vers, mais comme s'il chassait de son visage l'ombre importune de ce crayon rouge qui s'apprête à le caviarder tout entier.

À l'époque de la première Révolution, reprend-il, le sommeil le plus lourd, le plus allemand (rires), pesait sur le peuple. Dans toute la Germanie régnait la pesanteur la plus abrutie, mais dans les coins les plus reculés de la Prusse, quelques jeunes gens sentaient pourtant l'importance sociale de ce qui se passait tout là-bas en France, et l'exprimaient dans leurs écrits. Ce phénomène doit nous faire penser aux grands coquillages marins dont nous ornons nos cheminées et qui, bien qu'éloignés de la mer, commencent à bourdonner quand arrive l'heure de la marée haute, et que tout là-bas les vagues se brisent contre le rivage. Quand la Révolution se gonflait à Paris, quand le grand océan d'hommes se mit à rugir et à frapper, les cœurs allemands résonnèrent et murmurèrent chez nous, comme des coquillages solidaires.

Applaudissements. Axel a les larmes aux yeux.

Par démocratie, je n'entends pas seulement une technique d'exercice du pouvoir, poursuit Forster. Démocratie signifie plus que cela, c'est un sentiment et une façon de vivre, un style et une dignité, et même peut-être bien quelque chose de sacré. Partout il faut aider la Révolution, afin qu'elle puisse se révéler d'une parfaite efficacité, non seulement pour la conquête de libertés jadis étouffées, mais également pour la conquête du pain. Un tiers des Français est obligé de compter chacun de ses sous jusque dans son sommeil. Le critère de l'anomalie d'un système social, c'est l'injustice révoltante dans la répartition de la nourriture, des vêtements et des possibilités d'éducation.

L'Allemagne, que fera-t-elle ? demande Axel. Commencerons-nous enfin à utiliser intelligemment nos forêts de chênes en construisant des barricades pour la délivrance du monde ? L'Allemagne aussi pourrait être libre…

On fera peut-être remarquer qu'une acclamation dans un café ne remplace pas une canonnade. On peut bien appeler ça du courage d'intellectuel, quand un homme d'action rêve à haute voix. Mais il n'y a pas à s'en offusquer, et puis Forster était assez impie pour penser qu'en tant que lieu de travail et champ de bataille, la table du café est tout aussi digne de respect que l'imprimerie, ou même les sièges vides à l'Assemblée.

Finalement, dit Forster, il suffirait d'expliquer aux gens leurs droits, le reste se ferait tout seul et nous n'aurions plus qu'à assister les bras ballants à la formidable naissance de l'égalité. Moi je ne me contenterai pas longtemps d'être simple spectateur. Il faut agir. Ils sont trop nombreux qui s'entendent toute leur vie à garder un silence avisé. Voltaire, à Lausanne, contempla depuis son lit la tempête sur le lac de Genève, reflétée dans un miroir ovale… Trente noyés.

Que faut-il faire alors ? demande Axel. Fermer les yeux ?

Donnez un coup de main, donnez votre vie pour arranger les choses. Espèce de chien, vous voulez vivre éternellement ?

Et il y croit, Forster, à la Révolution. Son engagement, c'est même quelque chose d'effrayant.

Après l'entrée de l'armée française à Mayence, il militerait pour l'annexion de la Rhénanie à la France, ferait sécession d'avec l'Allemagne, voterait l'incorporation du territoire de Mayence à la République française. Le paradis. Enfin la liberté de la presse dans ces murs où l'imprimerie fut inventée, puis la liberté tout court, jusqu'à ce que les Prussiens reprennent le contrôle de la ville. Déclaré traître à sa patrie, exilé dans le Paris de la Terreur, travaillé par le cafard, rendu cynique, sinon cinglé, par la brûlure de l'échec, Forster promènerait alors sa tête de mort, ses beaux yeux fixes au fond de ses orbites bitumées. L'ombre de lui-même, à plat, n'ayant plus que l'alcool pour semblant de liberté, avant de crever en chien dans une mansarde de la rue des Moulins.

Maintenant qu'il aime plus que lui-même le mythique Forster, l'explorateur, l'homme d'action, le militant, le savant égaré dans les terres, Axel le copie en tout : le voilà politicien. Il lit tous les journaux par le menu, Forster est son modèle. Et pour cause. Il a vécu par l'esprit toutes ses aventures depuis l'âge de neuf ans, elles ont creusé dans sa mémoire de larges ouvertures sur le monde. Il se souvient même mieux que Forster de détails insignifiants, égrène par le menu ses descriptions précises des hommes d'ailleurs, les poignards, les maisons, les tatouages de l'île de Pâques. Comment il s'est glissé dans leur peau, à cent lieues du sentimentalisme convenu de Bougainville. Comment il a attrapé des poux dans les villages, comment il a étudié la grammaire des langues polynésiennes. Comment on rit en plein océan, comment on se fâche dans l'autre hémisphère, comment on marche, comment on fait signe, comment on commande et comment on obéit, les intonations, les voix, les attitudes, les réflexes, tout ce qui ne ment pas.

Peu après, comme Willdenow l'avait promis, Forster propose à Axel de partir en voyage ensemble. Non pas autour du monde, la renommée ne remplit pas les poches, mais au moins à Londres, histoire de montrer à ce gamin qu'il est encore tout-puissant, son voyage avec Cook lui a assuré une certaine notoriété, à Londres on se souvient parfaitement de lui, le jeune auteur célèbre du *Voyage autour du monde*, coqueluche des salons anglais, coopté par la Royal Society, à vingt ans s'il vous plaît. Et puis on visitera Paris, au retour, juste le temps de voir ce que la philosophie a fait mûrir de beau dans une tête libre.

Prêt ?

Depuis le jour de ma naissance.

Forster a acheté l'assentiment d'Elizabeth avec douze coupons d'étoffe de Tahiti dont elle se fera une robe de bal. Et un beau matin, Axel le rejoint à Mayence, avec armes et bagages. Sans doute pour épater le mentor, Elizabeth s'est fendue de six cents thalers d'argent de poche. La vie commence. Axel est si excité, volubile, que Mme Forster le prend pour un anormal, une espèce de maniaque qui va déclencher en elle une antipathie instinctive.

À Londres, Forster se met en quatre pour éblouir le gamin. La tournée commence par le naturaliste Joseph Banks, un ancien compagnon de Cook. Ce n'est pas un homme, c'est une mappemonde. Il est partout. Presque toute la terre s'appelle Banks. La ville de Banks en Australie, les îles de Banks au Vanuatu, la péninsule de Banks au Nunavut, sans compter quatre cent quatre-vingt-treize espèces de plantes du genre *Banksia*.

Ravissement.

Axel marche dans les rues d'une grande capitale au bras de cet affable président de la Royal Society, qui lui raconte les petites fesses tatouées des fillettes maories, les flûtes dont on joue par le nez, le rôtissage des chiens et surtout le surf sur d'énormes vagues déferlantes.

On ne manquait de rien, rigole Banks. Des nuits d'amour sur une natte de paille entre quatre murs de limon, sous un toit de bottes de roseaux. Le matin, je tirais quelques oiseaux, je les décrivais, le petit Forster les dessinait, et ensuite on les donnait au cuisinier pour les bouffer. J'étais jeune et c'est ainsi que je conçois encore la science.

Axel brûle librement. Chez Warren Hastings, le premier gouverneur des Indes, il s'attarde sur les toiles de William Hodges, qui inonda Londres des lumières et des couleurs du Sud-Est asiatique. Et puis Kew, les jardins botaniques royaux, où Sir Joseph Banks le présente à George III. Le monarque est beaucoup moins impressionnant que l'arbre à pain. Axel écrit à sa mère que la vue d'un kangourou lui a fait tourner la tête tandis que les joyaux de la couronne l'ont laissé froid. Elle lui répond dans une lettre grimaçante qu'il doit se fixer enfin. Elle l'a inscrit à l'école de commerce de Hambourg, il est temps de rentrer.

Ce genre de message renforce encore son goût des antipodes.

Sur le chemin du retour, Paris, l'été 1790. Les rues sont pavées de culture française, les rues des villes allemandes de vulgaire pavé schleu, c'est toute la différence, on la sent rien qu'en entrant dans la ville. Quand Axel arrive sur le Champ-de-Mars, où le peuple s'affaire à construire un amphithéâtre gigantesque, avec un temple de la Liberté digne de la fête de la Fédération, il s'aperçoit qu'il parle déjà français. L'étonnant est qu'il ne lui reste aucun souvenir d'un quelconque apprentissage. La langue française fait partie de son être depuis toujours. Elle lui vient tout de suite à l'esprit, et chaque fois exactement comme il en a besoin. Il est vrai que le vieux Frédéric tenait la langue allemande pour aussi barbare que les Goths et les Huns qui l'avaient corrompue. Comme toute l'aristocratie prussienne, Axel a bu dès la mamelle le clair français de Rivarol. Hurle donc dans cette langue géniale la chanson du chantier, *Partons prendre la pelle, la pioche et la bretelle, au Champ-de-Mars citoyens, bon courage pour avancer l'ouvrage.* Toute la population s'y est mise. De jour et de nuit, citoyens, soldats, abbés et belles dames manient la pioche, roulent la brouette, renversent le tombereau.

Tu pourras claironner que tu as charrié du sable pour la Révolution, fait Forster, en français. Lui aussi admire l'élégance sèche de cette langue raisonnable et sûre, pas comme l'allemand, trop lyrique, poétique, bien trop passionné, en tout cas indigne de ce siècle éclairé.

Le 14 Juillet, tout est prêt pour la fête, quelque chose d'immense, avec le roi Louis XVI en chapeau à plumes, avec Lafayette sur un cheval blanc, avec quatre cent mille fédérés venus de toute la France. La géographie est tuée. Plus de montagnes, plus de fleuves, plus d'obstacles entre les hommes. On porte des toasts à la majesté du peuple, à la liberté universelle, aux mânes de ceux qui ont péri dans les cachots de la Bastille, aux écrivains intrépides qui ont préparé la destruction du despotisme des rois, à Voltaire, à d'Alembert, à Diderot, à Guillaume Tell qui a affranchi son pays, à la nouvelle Confédération des États-Unis d'Amérique, à la liberté infinie de la presse.

Les jours suivants, la fête continue, on danse sur les ruines de la Bastille, Paris déploie ses joutes, ses feux d'artifice et toutes sortes d'ascensions aérostatiques auxquelles Axel voudrait bien participer.

L'air à cette altitude est-il encore respirable ?

Il se jetterait bien dans une nacelle suspendue à un ballon bleu azur pour dépasser les quatre mille mètres.

À une telle altitude les mains gèlent, affirme un aérostier en habit vert, vous respirez mal, votre cœur s'emballe, mais vous pouvez toucher les fines épines de glace qui composent les nuages.

Puisque le gamin veut absolument goûter au vertige, Forster le conduit de force chez les filles du Palais-Royal.

Lamento dans la chambre voisine. Axel imagine le plaisir partagé d'un homme et d'une prostituée. Il tend l'oreille : ce sont deux voix d'hommes, des cris d'amour, de désir, des gémissements d'hommes, c'est bon, encore, j'aime ça.

Une fille brune en déshabillé bleu pâle entre dans sa chambre avec une cruche de vin et dit qu'on l'appelle Mlle Joséphine. Prend Axel par le cou, ses mains partout sur lui comme une vraie sorcière de la baise, lui enfonce sa langue épicée et charnue jusqu'au fond de la gorge.

Et toi, chéri, t'es qui ?

Je viens de Berlin, en Prusse.

Elle lui fait un clin d'œil : Alors tu vas me faire cadeau d'une peau d'ours ?

J'en ai pas sur moi.

Tu m'embrasses ?

J'ai pas très envie.

T'es malade ou bien curé ?

Axel écoute les soupirs qui viennent de la chambre d'à côté. Les voix d'hommes qui s'aiment.

Ils en font du raffut, hein ? remarque Joséphine. Et on dirait bien que ça te plaît !

Quand la fille s'accroupit sur lui, la jupe relevée, Axel est avec eux.

Le soir, à l'auberge, il est morose. Ses épaules se soulèvent lentement et retombent.

Forster s'assied face à lui : Alors on remet ça demain ?

Je n'y tiens pas.

Ça s'est mal passé ? demande Forster.

Je n'ai pas eu la sensation d'une expérience intense. Et donc je n'ai pas particulièrement envie de recommencer.

Parce que vous fréquentez une fille ? Parce que vous avez une dulcinée à Berlin, qui vous manque ? Ah, les femmes, mais ça n'est qu'une poignée de cheveux !

Axel sourit d'un mince sourire : Les hommes ne sont-ils eux aussi qu'une poignée de cheveux ?

Forster rougit. La chose lui arrive si rarement qu'il croit se trouver mal.

Je vois, dit-il. Vous auriez dû me mettre au parfum.

C'est une histoire compliquée. Je peux compter sur votre discrétion ?

Il y a au Palais-Royal un bon millier de garçons qui se livrent exclusivement à la sodomie. Je peux même vous négocier un prix.

Non merci, dit Axel.

Pas ce soir ?

Pas demain soir non plus, fait Axel en redressant le buste, les mains jointes sur les genoux comme une débutante à un bal.

N'ayez pas honte, fait Forster, on peut foutre son homme, à l'occasion. Mon vit et mes couilles m'appartiennent, et que je les mette au civet ou au court-bouillon, personne n'a le droit de réclamer contre l'usage que j'en fais.

Merci, dit Axel, mais je dois aller au Jardin des plantes.

C'est pas le même genre de beauté, dit Forster.

Je sais, dit Axel en braquant sur lui un regard gris glacial.

Dans sa dernière lettre, il a juré à Willdenow de ne plus jamais se laisser entraîner par aucune puissante passion. Willdenow vient de lui répondre. Un encouragement de cinq pages. La lettre est dans sa poche. Bruissante.

Mon cher Axel, merci de m'avoir appelé à la rescousse. Cela m'a à la fois réjoui et légèrement effrayé. Pour oser répondre aux questions qu'on vous pose sur la vie il faut être soit fort prétentieux soit pris de boisson. C'est pourquoi mon premier conseil sera le suivant : méfiez-vous de ceux qui pensent pouvoir résoudre vos problèmes et voir plus loin dans votre avenir que vous n'en êtes capable. On apprend non seulement que les conseilleurs ne sont pas les payeurs mais que prodiguer ce qu'on qualifie de bons conseils n'a en général aucun sens. Nul n'est meilleur juge que vous de votre vie. Je vous suggère donc de vous méfier de cette lettre, jusqu'au moment où vous aurez atteint ce point de votre existence où les expériences que vous aurez faites vous parleront de leur propre voix.

D'ici là je pense que l'étude sans relâche sera pour vous un rempart contre la sensualité. Débarrassez-vous du problème sexuel. Habituez-vous à la continence. Chienne de sexualité ! Traitez-la comme une ennemie personnelle. Ne lâchez pas la botanique. Dans la botanique, il y a de quoi oublier tous les culs de la Terre. Et puis trois cents volumes de figures et descriptions devraient suffire à éteindre la fièvre d'amour. Une brouettée de Graminées, Liliales, Composées, Ombellifères, Labiées, Crucifères et Légumineuses pour étouffer le désir. Raisonnez désormais en calice, corolle, étamine et pistil, pétale et sépale au lieu de cunnilingus, baiser, queue, peau. La vie sexuelle n'est pas un métier. Mais la botanique, parlons-en. Consacrez-vous un temps aux seuls organes sexuels des plantes. Fermez votre cœur. Sans le prolongement d'un autre à aimer et qui vous aime, la vie est encore plus parfaite, je vous l'assure. Et puis le sexe n'est pas pour les savants. Du reste à Paris les savants ne se marient pas. Renseignez-vous. Ce qu'on croit être une exception vous paraîtra une épidémie. On ne connaît aucune relation d'ordre sexuel à Réaumur, le plus grand entomologiste de son temps. Et Bernard de Jussieu ? Grand silence sur sa vie intime. Pour cause, il n'en a pas. Un ours. Buffon s'est plaint du sacrifice qu'il faisait en volant du temps à ses recherches pour aller se marier à l'église. Et on persifle encore Descartes, un homme plus que moyen puisqu'il a été père et pleura la mort de sa fille. Cela fait trop de passion humaine pour que l'esprit reste vraiment grand.

Rassasiez votre esprit puisque vous ne pouvez aimer. Et si vous n'êtes pas aimé, étonnez au moins.

VI

Voué au dieu des vents contraires, amputé de tout projet de voyage depuis son retour de Paris, cloîtré dans une sinistre école de Hambourg où il ne fait rien de plus que perfectionner son anglais et les soixante-deux manières d'appuyer la tête sur un coude mélancolique, Axel se venge par l'assaut des salons. Il étourdit le monde de paroles, un vrai grelot, se noie dans le Verbe, ne la boucle pas un instant, se vante, s'étale, déploie des rubans de parole, comme de la fumée de tabac qui porte au cerveau. Ses discours bizarres finissent par étourdir les invités, des vertiges inconnus les gagnent à mesure qu'ils essaient de suivre cet étrange raisonneur. Finalement, on s'en va, verdâtre, avec le sentiment d'avoir été ballotté toute la soirée sur une mer houleuse, sillonnée d'horribles courants.

Affolé du vide de sa vie, Axel multiplie ce genre de crise mégalomaniaque. Le médecin de famille prescrit de l'aubépine et de la passiflore pour ralentir ce cœur.

Le jour où Wilhelm, déjà conseiller d'ambassade, épouse Caroline von Dacheroden, qui joue du violon, le château de Regel devient une sorte de parloir bourdonnant. Elizabeth a invité des acteurs en renom : une certaine Mme Unzelmann dont tout le monde est amoureux, Christel Eigensatz, maîtresse du roi, et la célèbre cantatrice, signora Marchetti ; et aussi des originaux, une Tchèque, la comtesse Pachta, qui vient de plaquer son mari pour vivre avec on ne sait quel roturier, et la comtesse Schlabrendorf, qui s'habille en homme de temps à autre et doit filer à Paris car elle attend encore un enfant illégitime ; puis les écrivains et philosophes de l'époque, qui se retrouvent au mariage, presque au complet : Friedrich Schlegel, Brentano, Chamisso, Schleiermacher, Jean Paul, qui flatte joliment et justement la jeune mariée : Vous traitez poétiquement la vie, et c'est pourquoi la vie vous paie de retour.

Goethe et Schiller sont aussi de la partie. Et comme il est préférable, devant Schiller, plutôt que se donner en spectacle, de se montrer discret et de savoir écouter silencieusement, sous peine de se voir traiter de hâbleur qui se fait valoir, Axel se fait odieusement remarquer.

Il est fou, déclare Schiller, qui a apparemment tout perdu de son expertise en fougue juvénile. Ils sont loin *Les Brigands*, ces révolutionnaires qui rêvaient de faire de l'Allemagne une république auprès de laquelle Rome et Sparte ne seraient que des couvents de nonnes. Le grand homme en lui est rentré se lover sur le tapis, près du poêle, et n'écrit plus que de petites choses très ordinaires, juste pour plaire à sa blonde.

Bref, le poète ultramondain qui pisse le froid au visage d'Axel n'a décidément rien vu, ni sa frousse intense de crever là, dans une Allemagne en petits bouts, partagée entre mille despotes, ni sa trouille de mourir dans la neige alors qu'il y a sur les tropiques des bateaux s'amarrant, des rues pleines de putains et de pédales de toutes les couleurs, de s'évanouir sans avoir rien compris, sa terreur d'être oublié dans la distribution des bonheurs, tout cela lui donne le délire, alors Axel hurle, il appelle au secours de toutes ses forces, dans la riche et belle demeure aristocratique.

Axel est une loque, une anémone qui ne se ferme pas, il est à découvert, exposé à mort, il est à l'opposé de l'impénétrable Schiller, son corps le torture, il est malade, las, épuisé, déchiré, coupable.

Quoi qu'il en soit, Schiller aux tempes veineuses n'a pas pigé un instant que ce gosse est seulement en train de se battre pour échapper au coma dépressif, mais la compréhensive Caroline, sa toute fraîche belle-sœur, craint à chaque instant qu'Axel n'explose tout à fait.

Seul Goethe, qui n'a jamais méprisé le côté nocturne du génie, semble apprécier ce jeune fou nourrissant les pires contradictions : J'ai rencontré un jeune homme sublime, il est une fontaine aux bouches nombreuses, écrira Goethe à Eckermann, il suffit de mettre dessous le récipient de votre oreille, et l'encyclopédie vivante verse son flot rafraîchissant, inépuisable. Il est une machine à dévaluer la vie et pourtant il semble vouloir résoudre l'énigme de l'univers, avaler la planète d'une bouchée, l'inventorier par le menu, du plus petit brin de mousse jusqu'aux nébuleuses, et devenir tout, il le crie avec ses yeux d'une expression magnifique, avec son feu inexprimable, parlant trois fois plus vite et trois fois plus que n'importe qui, offrant grande ouverte à tous son intelligence électrique.

Les plats d'argent circulent. Se vident. On apporte des cuisines des entrecôtes extraordinaires. Un domestique verse la béarnaise dans une saucière vaste comme un tonneau. Le maître d'hôtel expose une collection unique de moutardes. Les sommeliers débouchent à tour de bras des chambertins chambrés à point.

Plus tard dans la soirée, Goethe, gouverneur de l'esprit poétique sur la terre, qui fume, adossé à une tapisserie, regardant les mariés danser, fait un signe de main à Axel : Vous songez probablement au suicide, murmure-t-il. Mais vous devriez encore surseoir à son exécution. Attendez un peu, votre développement est inachevé. Ce serait un acte prématuré.

On me l'a déjà dit, fait Axel, troublé. On vient de me le dire. Savez-vous de quoi j'ai rêvé la nuit dernière ? J'ai rencontré Jésus, sous sa forme humaine. Je lui ai demandé comment il allait, il m'a répondu qu'il était malade, qu'il avait pris un coup de vieux ces derniers temps et qu'il allait bientôt mourir, ce qui détromperait bien des gens persuadés qu'il était immortel.

Vous avez mal, cela vous fait mal ; mais à travers votre mal, je devine votre bonheur. Pardonnez-le moi.

Ses yeux expressifs toujours braqués sur Goethe qui adore cette pression, Axel dit : C'est beau chez vous, je veux dire dans votre esprit, j'y vois des roses. Je vous écrirai. Je vous écrirai beaucoup de lettres dans ma tête.

Goethe hausse les épaules : Vous n'êtes pas vivant, vous n'êtes pas fini, il faudrait vraiment que vous retourniez quelque temps dans un ventre, achever votre croissance, je ne vois que ça. Quand on est au bout du rouleau, il faut descendre dans la mine pour apprendre à regarder en face l'aveuglant éclat des puissances métalliques enfouies dans les profondeurs du sol, c'est la seule chose à faire, vous savez. Endormez-vous un temps dans le ventre de la terre, pour mûrir encore, quelques années dans l'ombre, comme un filon au fond d'une grotte. Faites-lui confiance, la terre sait comment fabriquer l'or et le diamant.

C'est cela, enterrez-moi, ricane Axel.

Dès le lendemain, le vieil ami de la famille interviendra vigoureusement auprès d'Elizabeth : Une vocation contrariée est de nature à perturber l'équilibre moral d'un très jeune homme. Laissez-le donc embrasser la carrière qu'il voudra.

Elizabeth est intelligente et, on le sait, écoute les grands. Elle va céder.

Deux semaines après son arrivée en Saxe, à l'Académie des mines de Freiberg, Axel publiera un magistral opuscule sur les basaltes.

C'est bien ici qu'il faut vivre.

Il est sauvé.

L'homme n'habite que le côté désolé de la terre. C'est dessous qu'est le trésor. Et en Saxe le butin est considérable. Freiberg, une toute petite ville au pied des Monts Métallifères, compte à peine neuf mille habitants, mais bien deux cent quarante mines avec des filons géants d'antimoine, de cuivre, de fer, de cobalt, de manganèse, de plomb, de zinc… Et même des gisements de mercure et d'argent que les Romains exploitaient déjà, dans des vallées si encaissées que le soleil n'y pénètre qu'une heure par jour, où les villageois de cet univers minéral décorent leurs chapeaux avec des cristaux, des topazes, des billes d'améthyste ou de grenat et ouvrent leur filon au fond de la montagne selon une intuition proprement alchimique. Un bled, mais le centre du savoir géologique où convergent même les étudiants de Russie et d'Angleterre.

Le directeur de l'Académie des mines et meilleur géologue d'Allemagne, Abraham Gottlob Werner, vient de définir une nouvelle théorie de la formation de la Terre.

Les eaux du Déluge, en se retirant lentement, ont formé les roches et les continents, d'une main de sculpteur, douce et sans brutalité. La nature est sans violence. On n'a jamais vu une montagne s'élever en une seule nuit. Notre Terre est fille du temps et s'est formée graduellement, affirme-t-il. L'érosion d'un rocher pas plus haut que ça demande plus de six millions d'années, ce qui renvoie la Bible au rayon des livres pour les enfants.

Bientôt, même les poètes accourent pour s'initier au délicat neptunisme de Werner, et pour étudier les méthodes de prospection et d'exploitation du minerai avec ce Midas extraordinaire, tout ce qu'il touche se change en gisement. Novalis, le prince de la révélation romantique, achèvera auprès de Werner son cursus d'ingénieur. Ici il est Friedrich von Hardenberg, né pendant une éclipse de soleil, arrière-petit-fils du glorieux fondateur de l'Académie des mines. Quatre ans à poursuivre un filon idéal dans les plis de la terre. La poésie est peut-être au fin fond d'une galerie, dans la symétrie des cristaux d'un bloc de diorite, dans le regard divinatoire de Werner qui traverse la croûte terrestre comme une sonde.

Axel et Novalis, attablés dans une taverne, mangent du bœuf froid, des betteraves et des pommes de terre en robe des champs. Ils sont aussi différents qu'on peut l'être, Axel n'étant pas du tout métaphysique, mais tout de même jumeaux par leur aspect de maigres fantômes brûlant tout par leur nervosité. L'alcool et les pensées des autres leur sont d'incessants combustibles. Ils descendent de petits verres en concluant tous deux sur le même ton, parfaitement accordés, que seuls dans l'Allemagne d'aujourd'hui Werner et Goethe sont capables de poétiser les sciences et de romantiser le monde. Tous deux détestent l'Encyclopédie de Diderot, ses planches primaires. Un délire de technologie mentale, raille Novalis, ce n'est pas un livre, c'est une usine raide et bruyante. Où sont donc passés la terre, le ciel avec toutes ses étoiles. Où est la poésie ?

Ils décrocheront ensemble leur diplôme des Mines. Le reste de sa courte existence, Novalis le consacrera au déchiffrement de la grande écriture cryptée du vivant, sur la coquille des œufs, dans les nuages, dans les cristaux de neige, dans les strates de la terre, dans les limailles qui entourent l'aimant, dans ses propres crachats tuberculeux, et dans les étranges conjectures du hasard.

Pour l'heure, Axel s'est trouvé un nouveau guide. Ni voyant ni poète, Freiesleben, futur ingénieur de dix-sept ans à chevelure de kobold, l'entraîne au fond, là où des pompes monstrueuses assèchent les galeries, où croissent de curieuses mousses phosphorescentes qui se nourrissent de la lumière des lampes. Ni l'hydraulique ni la chimie des sels n'ont de secret pour ce gamin. Non plus les vierges de treize ans dont il est fou, et plus encore que Novalis. Axel ne le touchera pas, se contentera de l'aimer de loin, de le respirer, de le contempler.

Radieux, dans une lettre à Elizabeth : Depuis que je suis descendu dans la mine, je n'ai plus été malade un seul jour.

L'embellie ne dure pas. Freiesleben lui a préféré une Maria à peine pubère, au regard légèrement torve. En outre il l'a traité de pédoque, ou je ne sais quel autre terme affreusement dégrisant.

Axel se rabat aussitôt sur Reinhard, un officier de vingt-deux ans, déjà fiancé. C'était idiot de sa part, il n'aurait pas dû, il savait bien qu'il souffrirait, mais il s'est jeté quand même, plein de hâte, à la tête de ce tout petit idéal qui porte au menton un si joli bouc.

Mon tendre Reinhard, tu es le seul point vivant de ma vie, je ne veux plus rien sur terre que te faire de la joie.

La bouche d'Axel est posée sans autre exigence dans les cheveux de Reinhard, les cheveux de Reinhard sont chauds et humides de l'haleine d'Axel. C'est spirituel et physique à la fois. Axel se sent lyrique et philosophe et heureux comme quand il était adolescent. Cette nuit-là il élargit le champ de sa conquête en explorant le ventre brun et ferme de Reinhard jusqu'à sa poitrine. Expédie la chasteté aux orties. Il le pénètre deux fois et il jouit deux fois. Mais le lendemain, Reinhard lui demande s'il peut amener un ami et Axel accepte tout de suite parce qu'il pense que Reinhard veut qu'il accepte. Avant Reinhard, Axel n'avait jamais été fidèle. En fait il prêchait même contre la fidélité qu'il jugeait barbare. Aujourd'hui il l'apprécie car elle signifie qu'il consacrera toute son énergie et tout son désir à une seule personne, de même qu'il rêve d'être l'unique objet de l'amour de Reinhard.

Mais le régiment de Reinhard est déplacé à Bayreuth et on n'ira pas plus loin.

Pour la première fois de son existence, Axel adore la solitude, et lorsque Wilhelm et Caroline l'invitent à fêter la naissance de leur aîné – l'enfant est extrêmement grand, fort, sain comme une brebis, et je t'annonce le meilleur en dernier, ce n'est pas une fille –, Axel répond poliment qu'il est trop occupé à se faufiler dans d'étroits puits de mine où il tente de mater sa claustrophobie.

Au fond des boyaux les plus exigus de la mine, Axel effectue des mesures de température.

Plus on descend dans les profondeurs et plus il fait chaud, écrit-il à Goethe, ce qui contredit toutes les thèses de Werner.

Goethe lui répond par retour du courrier : Dépêchez-vous de guérir, dépêchez-vous de voyager, il faut maintenant que vous songiez à explorer un volcan si vous voulez tenir tête au maître de Freiberg.

Axel apprendra à Willdenow que même dans l'obscurité du ventre de la terre, sans un rai de lumière, les plantes prolifèrent, ce qui paraît inconcevable, pourtant il y a des mousses, des lichens, des algues jaunes et blanches sur les pierres tout au fond des grottes.

Au début de 1792, Axel qui a sauté deux années d'étude, tout simplement parce qu'il est génial, qu'il a la prospection dans la peau, est bombardé ingénieur en chef des Mines et des Fonderies de Prusse, passe le plus clair de son temps en excursions spéléologiques. Son traité sur les gaz souterrains lui vaut une médaille d'or du prince-électeur de Saxe. Sans hésiter, Berlin lui fait promettre qu'il gravira très vite un échelon de plus. Qu'il a le profil du prochain Inspecteur général des mines de Prusse. Mais au fond de lui, Axel se sent fini, il a même honte d'éprouver de la joie à l'annonce de cet honneur misérable. Et pourtant il continue, il ne sait pas pourquoi mais il s'accroche. Peut-être parce qu'un coup de grisou a tué soixante mineurs, dans un filon extrêmement prometteur qu'il avait lui-même découvert. Soixante types qui l'avaient suivi, en confiance.

Saleté de montagne, je boufferai tes entrailles !

En août il invente une lampe de mineur dont la flamme est protégée des gaz environnants, et qui s'alimente à un réservoir étanche. Cette invention manque le tuer. Il descend dans une cavité où l'air s'est tellement raréfié qu'il tombe presque aussitôt en syncope. À l'agonie, effroyablement heureux, il voit pousser sur les parois des plantes tropicales gigantesques. Qui deviennent des garçons nus. Qui le comblent. Un contremaître passant par là appelle du secours et on le ramène à la surface.

En septembre, alors qu'il vient de mettre la dernière main à un masque à gaz hypersophistiqué, une vraie machine à respirer qu'il a testée sur lui-même, dans des conditions terribles d'hallucinations, de vertiges, de jambes molles, l'armée prussienne marche sur Paris.

Le duc de Brunswick a coupé Dumourier de Châlons. Mais Kellerman fait avancer son aile gauche et prend position sur un plateau adossé à un moulin, entre Sainte-Menehould et Valmy. On parlera de vingt mille coups de canon français. Six cents cadavres équitablement répartis entre les forces en présence.

La Prusse défaite.

À Regel, Wilhelm s'est mis à détester les Français. Applique aussitôt à ses recherches linguistiques la logique de la haine. Les Français sont froids. La chaleur et la cordialité leur sont complètement étrangères. Pour cette raison leur langue n'a pas d'accent tonique. Il ne peut donc rien advenir d'elle, surtout en poésie. Et un peuple froid dont la langue n'a pas d'accent tonique ne saurait non plus être républicain.

Côté français, la jeune Convention nationale, requinquée par la victoire de Valmy, proclame la République. C'est l'an I du nouveau calendrier. Pour réformer le Code pénal, Le Peletier de Saint-Fargeau demande l'abolition des crimes imaginaires. Qu'on en finisse avec l'hérésie, la magie, le suicide et la sodomie. Rayés des listes.

Ni le cœur ni le corps d'Axel n'ont jamais été prussiens. Il se sent républicain jusqu'aux moelles, il boit plus que jamais à la liberté. À celle des autres, en l'occurrence : il a vingt-trois ans, son sexe le lance, les garçons lui manquent.

Des mois qu'il a décollé sa bouche des cheveux de Reinhard, ses mains de ses mains. Et qu'il s'occupe à l'extrême, hyperactif, stressé, cherchant à meubler chaque minute, chaque seconde, d'une profusion de gestes, de pensées, d'hypothèses, de découvertes. Inutile de préciser que la botanique ne suffit plus, il sait déjà tout, par cœur, les catégories, les espèces, les systèmes sexuels, il est temps de passer à autre chose, à l'encyclopédie, à l'univers.

Dans la chambre d'Axel, à Regel, un accumulateur, une pompe à vide, un microscope solaire et de hauts récipients de verre émergent d'un incroyable fatras de ressorts, de manettes, de robinets et d'éprouvettes. Galvani est son héros, qui ne se contentait pas de jouer le maître à danser des grenouilles par les soirs d'orage. Accro à la bouteille de Leyde, il reliait entre eux trois ou quatre de ces condensateurs pour s'envoyer des décharges homériques. Il y mettait la langue. Et quand il y avait carrément mis l'œil, il portait quinze jours un gros pansement collé en travers du front, du côté du globe irradié.

L'électricité est-elle une lumière intérieure ?

Galvani le généreux ne sera pas le seul martyre de l'électricité. Axel s'est fait dénuder au scalpel un muscle de l'épaule pour y poser des électrodes. Ça n'est pas seulement pour l'amour de la science, ça n'est pas seulement parce qu'il éprouve un plaisir infini, un véritable orgasme électrique, chaque fois que le courant le pénètre, c'est surtout pour emmerder Karl, le type le plus beau qu'il ait jamais vu, qui ne veut pas l'aimer, qui lui a refusé un baiser en le traitant de fiote.

Axel a plongé la main dans sa poche de gilet et Karl a cru qu'il cherchait sa montre. Il en a ressorti une longue aiguille terminée par un mince fil de cuivre. Karl n'a rien pu faire, Axel s'est plongé l'aiguille dans l'épaule. Karl était dégoûté et horrifié.

Arrête ça, je t'en prie.

C'est pas ton problème.

Arrête s'il te plaît, murmure Karl en le regardant avec tristesse, ça me fait mal à moi.

Ça te fait mal à toi quand je me plante moi une aiguille dans l'épaule ?

Oui. Et je veux que tu arrêtes de t'abîmer.

Idiot, c'est la mode, lance Axel avec une joie de flamme.

Karl a voulu retirer l'aiguille. À ce moment-là, Axel a actionné le mécanisme qui relie entre eux les fils de cuivre et envoyé le courant.

Karl et Axel ont pris une châtaigne qui les a pliés en deux. Ont hurlé sous le même choc. Un orgasme ensemble. Karl a souffert. Axel a joui. Le plaisir lui a coupé le souffle puis ouvert la bouche dans un long cri.

Faire bondir les morts est l'un des effets du courant électrique. Dans tous les laboratoires on fait bouger les yeux blancs des bœufs dans les têtes coupées, et les physiciens français n'ont pas hésité à tirer du sac de sciure quelques chefs d'aristocrates pour s'amuser à les faire claquer des dents.

Les jours suivants Axel s'inflige des coups de jus suffisamment puissants pour cautériser les entailles faites en lui par Karl, Reinhard et les autres. À chaque décharge il chancelle puis il tombe à genoux. Le liquide qui s'écoule de ses plaies est si corrosif qu'il brûle la peau. La tête lui pend du cou comme une feuille. Il ne peut plus la tourner. Lorsque son dos est noir de nécrose et plus couturé qu'une échine d'esclave, quand l'épaule désarticulée par les châtaignes a l'air d'avoir été remise en place par un chirurgien pris de boisson, avec la clavicule qui s'en va n'importe où et l'omoplate décollée, quand le deltoïde est tout à fait dilacéré et pour des mois impropre à l'exercice, Axel se sent tout à fait neuf et ressuscité.

Après quoi, purifié et débarrassé pour un temps de ses gros chagrins, il pond, directement en français, une étude de l'effet de l'électricité sur le mouvement musculaire, qui va faire fureur à Paris.

VII

Autour de 1740, le Roi-Sergent lui-même s'était permis de prêter une oreille favorable à l'affirmation selon laquelle il est chrétien de haïr les juifs, puisque tant de bons chrétiens le font. Mais, dès son avènement, Frédéric II jugea leur présence indispensable aux profits tirés du commerce. Si les villes d'Allemagne ne renonçaient pas vite aux expulsions, on manquerait d'un génial savoir-faire financier. Les juifs restèrent donc au royaume de Prusse.

Lottie Feld, mariée au directeur de l'hôpital juif de Berlin, fille d'un bijoutier portugais converti au judaïsme, est une originale, grande, un peu brusque, les yeux rapprochés, les sourcils se rejoignent. Pas tout à fait blanche. Une forme de visage très étrangère, entre juive et grecque. Plutôt juive. Elle parle toujours très vite, elle lit Mirabeau et tous ceux qui s'emploient en France à l'amélioration du statut légal des juifs.

Outre l'hébreu, elle sait le latin, le grec, les mathématiques et la physique. Elle peut parler de n'importe quoi à n'importe qui. Cette interlocutrice diabolique, qui n'invite jamais aucune femme, parce que ces merveilles de nullité préfèrent les mômes plutôt qu'étudier, tient le salon le plus intelligent de Prusse.

Un monastère des esprits libres, dit-elle, où l'on glorifie les Lumières.

La pensée du vieux Kant y fait foi. On s'y moque à mots couverts de Frédéric-Guillaume II, le fou. Or les esprits forts n'aiment ni les elfes de Sans-Souci ni les femmes, car à Berlin comme ailleurs le postulat de l'égalité de tous les hommes n'implique nullement l'égalité de l'homme et de la femme, elle n'est qu'un petit mâle inachevé et dépendant, né d'un os surnuméraire. Pas plus qu'il ne réserve une place aux juifs.

C'est une chance pour nous qu'on ne puisse insister sur les droits de l'homme sans réclamer en même temps des droits pour nous !

Pour les femmes ?

Non, pour les juifs mâles et bien membrés, corrige Lottie, avec son petit air de rancœur face aux privilèges masculins. Depuis que le judaïsme a déversé son insondable grossièreté sur les femmes, la juive n'est qu'un intermédiaire entre l'écrevisse et la taupe, sang froid et vagin large dans lequel le mâle pousse son pénis barbelé, renchérit-elle. Quant à moi j'ai réglé le problème et je voudrais me sentir libérée de l'obligation insoutenable d'égaler l'homme, ricane-t-elle, avant d'ajouter : Du reste toutes les conventions méritent d'être contestées, et pas seulement celles qui entravent les femmes.

Comme Berlin est une société machiste, où la femme est au service de l'homme, attend son désir, prend du plaisir si elle le peut, un plaisir du reste moralement suspect, Lottie s'affirme comme une emmerdeuse féministe, meurtrière d'amours-propres masculins. Sa fortune lui tient lieu de chromosome Y, elle regarde tout le monde de haut et proclame qu'elle consacrera toute son énergie à promouvoir de nobles relations entre les sexes.

Bien que femme, elle rit aux larmes du dernier poème de cet imbécile de Schiller où *la vertueuse mère des enfants règne avec sagesse sur la maisonnée et range dans les coffres bien cirés la laine brillante et le drap blanc comme neige.*

Bien que juive, elle sort le jour du sabbat en voiture découverte, juste pour se sentir exister.

Elle impressionne les gens par sa témérité absolue. Elle leur vole dans les plumes, furieuse chaque fois qu'on l'aborde en ne reconnaissant que la femme en elle.

Wilhelm von Kemp adore Lottie Feld. Elle l'a séduit comme elle les séduit tous, en leur faisant croire qu'elle rencontre un être humain pour la première fois et que désormais son existence émotionnelle sera entièrement tributaire de la sienne.

Wilhelm y a cru. Et elle s'en amuse, tout en le repoussant constamment du bout pointu de sa conversation : Ne me flattez pas, je vous en prie, je sais bien que je ne suis pas jolie, je manque aussi totalement de grâce intérieure... Je suis plutôt quelconque que laide, et je n'ai aucun charme, je m'imagine qu'un être extraterrestre, au moment où j'ai été projetée dans ce monde, m'a enfoncé à coups de poignard ces mots dans le cœur : Oui, tu es laide et tu es juive, il faudra te débrouiller avec ça !

Wilhelm la craint parce qu'il la désire. C'est une beauté orientale, soupire-t-il. Un buste paré de seins parfaits, des aréoles qu'il imagine roses comme ses ongles délicats.

Laideur de Lottie, beauté de Lottie, toutes deux éclatantes. Des lèvres sensuelles, les pommettes hautes, mais mal coiffée, juge Schiller, qui n'aime pas les mèches ondulées qui descendent très bas sur son front puissant, intelligent et un peu ridé. Laideur voulue, parti pris peut-être. Et puis entêtée, ne voulant jamais démordre de rien, sans concession, d'une authenticité à faire peur. Ce qu'on dit d'elle : qu'il ne lui manque qu'une touche de véritable humanité pour être une vraie figure de l'Antiquité.

Lottie semble ne pas connaître l'attachement ni la dépendance. Mais bien qu'elle ne prenne aucun soin de sa toilette (elle se promène dans des manteaux mal ajustés, qu'elle appelle habits de Réforme), la jeune femme a toujours de fervents admirateurs tant sa vitalité est ardente. Un seul de ses mots acides arrache des larmes à de beaux messieurs à monocle. Un soir qu'elle est assise en compagnie des frères von Kemp et du baron Gründ, elle est frappée par la beauté des trois paires d'yeux fixées sur elle : ceux de Wilhelm, d'un violet profond et “tout âme” ; ceux de Gründ, du bleu pénétrant d'une intelligence claire, et ceux d'Axel, de cette variété de quartz qu'on appelle œil-de-tigre.

Ce pauvre Wilhelm ! Depuis qu'elle lui a fait signer un serment d'amour platonique, elle ne le regarde même plus, n'a d'yeux que pour Axel, il pique sa curiosité, il l'attire et l'agace à la fois, elle désirerait le connaître davantage, elle s'est rendu compte d'une certaine parenté entre elle et lui.

Durant des mois Axel ne lui accordera pas un battement de cil. Jusqu'au jour où il prendra Willdenow à part : Est-ce que tu pourrais m'expliquer pourquoi j'ai envie de sourire à cette fille ? Il y a quelque chose qui cloche, c'est pas normal, cette émotion !

À quatorze ans, alors qu'elle dormait encore avec un ours en peluche pattes écartées sur l'édredon, un mariage arrangé jeta Lottie dans les bras de Marcus Feld qui avait beaucoup de poils sur le dos des doigts. La rumeur lui prêtait d'effarantes orgies avec des maîtresses russes extravagantes qui couraient le monde à la recherche du pianiste idéal, des drames obscurs avec des princesses du Danube compliquées et provocantes. On ne sut que beaucoup plus tard qu'il n'avait pas hésité à user de tampons imbibés d'éther pour se faciliter l'épreuve quotidienne de la pénétration. Au réveil, sa gamine d'épouse le frappait en hurlant de rage : Je voudrais vivre au fond de la mer pour que vous ne puissiez plus entrer dans ma chambre, et Marcus ça le faisait rire. Il préférait qu'elle s'en prenne à lui plutôt que de fabriquer on ne sait quelle maladie de peau. Ou de ces fameuses migraines qui font un crâne de ciment et une cervelle de plâtre.

En effet, Lottie ne contracta pas de maladie de peau mais une anorexie impitoyable, et le cycle du sang cadenassé pour des années. En outre, bien que la mode eût été aux petits voyages psychédéliques, elle ne parvint jamais à tirer de l'éther le moindre plaisir. Seulement la nausée, des étouffements pénibles et ce sommeil agité dont Marcus tirait partie à sa manière.

Elle déclara donc qu'elle ferait désormais l'amour aux oiseaux plutôt qu'aux hommes et se mit à élever des colombes.

Un jour, outrée de douleur, il y avait six mois qu'elle était mariée et Marcus la trompait avec une Adélaïde écossaise furieusement sentimentale, elle prit un couteau pour se couper la langue et n'être plus obligée d'adresser la parole à un homme qui s'amusait à ne la faire parler que pour le plaisir de la prendre pour une imbécile, et se donner ainsi de bonnes raisons de découcher. Une femme de chambre lui enleva le couteau des mains et lui promit de lui coudre une nouvelle robe si elle se tenait tranquille.

Ensuite Marcus désira être père. Tenta d'arracher sa paternité à grand renfort de coton trempé d'éther. Rien à faire, il n'y eut pas de conception.

Le devoir de la fleur est de nourrir le jeune fruit, dit Marcus.

Mais la fleur se mit à hurler : Je ne veux pas d'enfant, jamais.

À la suite de cette dispute, Lottie qui était restée quelque temps patiente et végétale, à tenter de prendre racine dans un coin, s'enferma dans la salle de bains et se tira une balle dans le cœur. La balle ricocha sur une côte et se perdit dans un panier à linge. La jeune femme en fut quitte pour des jupons troués. Comme la domestique tambourinait follement à la porte en demandant ce qui se passait, elle dit : Juste un petit moment de doute.

Et quand Marcus Feld voulut chercher dans son journal intime les raisons de ce geste, elle l'avait brûlé dans le poêle, sur cette page définitive : Je commence grâce à ce journal à savoir ce qu'il y a dans une journée, dans une semaine, dans un trimestre de Mme Feld : c'est horrible, il n'y a rien. On a beau le savoir, le voir sur le papier, noir sur blanc, c'est insupportable. Cette année-là je ne la lui pardonnerai pas.

Quand elle a vingt ans, le docteur Marcus Feld passe autant d'heures par jour à l'hôpital juif de Berlin, posant aux soldats des prothèses en bois et caoutchouc, vissant des rectums en argent et des vulves en cuir, opérant les reins et les lombes aristocrates, juives ou non. Il vient de se spécialiser dans les vaccinations, court chaque matin à ses papules, à ses pustules, à ses vésicules, sur les avant-bras des vachères prussiennes.

Lottie s'ennuie à mourir. Elle lit des bouquins érotiques que lui prêtent les femmes de chambre. Elle laisse glisser son doigt sur le mot queue. Son sexe réagit au mot sous son doigt. Elle trépigne d'impatience. Son sexe appelle par dépit sa main. Elle soulève sa robe, elle tire sur sa culotte. Son clitoris est dur, volumineux. La brûle. Elle se branle, elle se lève, elle saisit un coussin, elle se couche sur lui, elle le coince entre ses cuisses, très rapidement des allées et venues et des coups de rein contre le coussin, une corde brûlante se tend entre ses jambes, elle jouit.

Quelques mois plus tard, elle a rencontré Wilhelm von Kemp, qui l'a initiée au sanscrit. À cette époque toute la Prusse étudie le sanscrit, par curiosité et surtout pour ses effets thérapeutiques. Il paraît que le fait de se consacrer à une langue parfaite, issue d'une civilisation grandiose, sereine et apaisée, étend le même calme et la même radieuse harmonie sur l'étudiant.

Puis Wilhelm lui a présenté son frère. Lottie perçut immédiatement l'afflux de sang à ses parties génitales.

C'est le côté matérialiste désagréable de ma personne, se dit-elle en ironisant. Mais tout va bien, la machine fonctionne très bien, je suis donc encore tout à fait capable d'aimer les hommes au lieu d'afficher à leur endroit une indifférence quasi malsaine.

En même temps, quelque chose en elle souffle que ce n'est pas l'homme qu'elle aime, que c'est encore autre chose, qui les dépasse, elle et lui. Pourtant ç'aurait été très reposant de se dire qu'elle aimait cet homme, un point c'est tout.

Au fond, se dit-elle, ce qui est étonnant chez moi, c'est mon amour de l'ambiguïté, je préfère rester seule et n'aimer que des amants de rêve et pourtant, s'il mourait maintenant, le petit nouveau, je me tuerais.

Lottie Feld s'est toujours arrangée pour avoir le plaisir de tomber amoureuse sans encourir les risques de l'amour, s'éprenant généralement d'hommes qu'elle ne connaissait que par leur œuvre littéraire et auxquels elle se gardait bien de montrer ses sentiments, ce fut le cas pour Goethe qu'elle adorait littéralement depuis l'âge de seize ans, de partis impossibles ou d'hommes aux désirs instables, d'homosexuels ou de bisexuels, de vieux garçons que leur attachement à leur mère empêchait de vivre. Elle évitait constamment la situation de réciprocité amoureuse, préférant le départ, la rupture à toute déclaration d'une passion partagée.

Elle-même le résumait ainsi : La vie, je l'aime, je l'attends, je la saisis à pleines mains. Mais je rejette ce qu'elle a de contraignant, de déterminant, je déteste ce qui est supposé nous exaucer, j'attends plutôt quelque chose qui me ressemble, une existence aussi insaisissable que je le suis moi-même.

Un beau jour, ils se regardent dans les yeux.

Conséquence toute mécanique du contact de leurs regards, Lottie s'avance vers Axel et lui demande s'il accepterait de lui dispenser des cours de botanique.

Leur première conversation durera sept heures et sera si nourrie que Lottie se demandera plus tard s'il leur restera encore quelque chose à se dire à leur prochaine rencontre. Elle le recevra désormais tous les mercredis, toujours en cheveux et sans maquillage, emballée dans une sorte de châle informe.

Une femme ne peut faire un plus grand compliment à un homme, ni témoigner plus d'abnégation qu'en renonçant à faire toilette pour ne pas lui faire perdre une seule minute à l'attendre. Vous m'avez engloutie comme une inondation, tout cela est une mer et il faudra du temps pour que j'en émerge, lui écrit-elle.

Axel répond qu'il voudrait que tous ces gens autour d'eux s'engloutissent dans cette mer et qu'ils restent seuls au monde.

Lottie lui envoie une invitation pour l'opéra.

Un bon ténor peut faire cela, dit-elle, engloutir tous les autres et ne chanter que pour nous deux.

Les choses se passent ainsi. La voix chaude du ténor les enlace et les stupéfie. Les tourtereaux restent figés sur leur siège. Jamais ils n'ont entendu un organe avec de tels prolongements, avec un tel fond, de telles coulisses sexuellement mélancoliques, soubresauts passionnés, registres profonds de bonheur. Cette voix émet de la couleur tant elle est voluptueuse et enflée.

À la sortie du concert, Lottie arrache une patte à sa cape de zibeline, et l'offre à Axel.

Je n'aime que vous et cependant je ne serai jamais votre maîtresse.

Si vous aviez dû devenir ma maîtresse, j'aurais refusé ce tête-à-tête, réplique Axel en s'inclinant pour lui baiser la main avec une amicale douceur. Laissons l'amour aller et venir comme il veut, inutile de l'attraper, laissons-le circuler librement…

À quoi pensiez-vous en prenant ma main ?

Que je n'ai jamais gardé aucune main de femme plus de deux secondes dans la mienne.

En avez-vous ressenti de l'angoisse ?

Une angoisse combative, rit Axel. Mais ne vous imaginez rien de plus. Je ne saurais que faire d'une maîtresse. Salomon n'avait pas assez de mille femmes dans son harem, moi si j'en avais une seule, elle serait déjà de trop.

Alors qu'attendez-vous de moi ?

Je ne sais pas. Disons, une non-liaison. Quelque chose de reposant. Chez un homme, je suis toujours à l'affût de ce qu'il peut m'offrir sexuellement. Avec vous, je me sens en paix. Vous êtes un grand esprit, un grand esprit est toujours androgyne.

Vrai, dit Lottie, c'est terrible à dire mais jamais je n'ai été un corps, ni dans l'amour ni nulle part, la vie me passe toujours à travers, ça ricoche sur moi, c'est tout. Heureusement que j'ai un cerveau pour vous séduire.

Ils s'amusent à décrire un cerveau parfait, dans lequel la partie masculine et la partie féminine joueraient parfaitement et équitablement leur rôle. Finissent par penser qu'ils sont cet androgyne, cette merveille de l'humanité, homme et femme à la fois, intelligents et heureux. Un esprit purement masculin est incapable de création, de même qu'un esprit purement féminin. Mais un esprit androgyne résonne de toutes les émotions, il est naturellement incandescent, créateur et surtout indivisible.

Nous ne nous quitterons plus, déclare Axel.

Lottie rougit : Je ne voudrais pas vous faire de peine parce que je vous aime énormément, mais ne dites pas nous, s'il vous plaît, j'ignore totalement ce que voudrait dire au juste ce nous, quelque parti idéal ou philosophique probablement, et pour ma part je ne connais que le je.

Lottie doute qu'il puisse exister un homme capable d'un amour profond, immobile et durable comme un lac de montagne ; Axel doute qu'il puisse exister une femme capable de saisir la nature de la passion d'un homme pour un autre homme, qui les déchire de part en part, et les laisse brisés, épuisés, vulnérables comme de petits enfants.

Elle lui écrit : Mon Axel, vous savez que j'aime beaucoup parler avec moi-même. J'ai trouvé en moi l'être le plus intéressant que je sache. J'ai pu craindre parfois de manquer de matière pour ces conversations, mais c'est fini, car maintenant je vous ai. C'est donc de vous que je me parle actuellement, de vous que je parlerai éternellement, de vous, le plus intéressant des sujets, avec la plus intéressante des femmes.

Axel répond, du tac au tac : Ne m'appelez pas "mon" Axel ! Soyez donc une fiancée de tout repos. Vous m'aimez – c'est bien possible, mais que votre amour voltige librement autour de moi, en cercles vastes et spacieux. Seul le jeu propre de la liberté doit régner entre nous deux. Et vous devriez rester assez légère pour que je puisse prendre à bout de bras le manteau de votre amour.

Je me sens si terne, si ennuyeuse, si morte, si commune. Et j'ai l'impression d'être détraquée. J'ai les nerfs à fleur de peau ; ma tasse à café tremble dans la soucoupe. Je ne veux plus de vous, écrit cette fois Lottie. Du reste je n'aime pas les hommes séduisants. Votre cœur est déjà tout un marquoir, et je n'ai pas envie d'ajouter mon nom là où tant d'autres ont déjà gravé le leur…

La relation épistolaire a commencé ainsi, par une méchante querelle générale. Il est clair que ni l'un ni l'autre ne veut d'une union totale – chose que l'on tient d'ordinaire pour désirable et normale. Ils s'infligent ainsi toutes sortes de souffrances.

Au printemps, les choses s'arrangent. Ils se revoient au théâtre.

Vous êtes mon amie, et vous êtes manifestement et avec beaucoup de grâce une femme. Mais que vous en soyez vraiment une et que je vous aime, voilà une belle complication !

J'ai déjà vingt-quatre ans, je n'ai aucun plaisir à vivre, je redoute la vieillesse, je redoute la vie solitaire à laquelle je suis sûrement destinée. Est-ce que vraiment l'amour ne peut pas exister entre nous ?

Si, dit Axel en continuant de sourire avec ravissement. La preuve, puisque je vous dis que je vous aime. Mais c'est une exception que je ne peux pas m'expliquer. Je suppose que Novalis s'écrierait en vous voyant : Mon ange ! Il aurait raison parce que c'est le seul terme qui convient. Ni petite amie, ni femme. Goethe s'écrierait : Ô créature céleste ! Ce serait d'un romantisme un peu ridicule, mais ça vaudrait mieux que de ne pas y croire du tout.

Lottie pense : Axel, lui, n'a vraiment rien d'un ange.

Il est violent, large d'épaules, et elle a honte soudain de désirer que ce visage et cette chevelure viennent vite obscurcir ses yeux. Son sang bat. Elle se sent devenir tendre. Elle pose sa main sur le bras d'Axel, qui s'éloigne.

Non, dit-il, que ce soit clair! On peut tomber passionnément, mortellement amoureux, sans que s'y mêle la moindre convoitise. Croyez-moi, le seul qui vous aime gratuitement ici-bas, c'est moi! Parce que je n'ai strictement rien à vous demander, et pas le moindre devoir envers vous.

Lottie devient rouge sombre tandis que ses yeux excessivement myopes deviennent d'un noir froid, et se fixent. L'offensée ramène sur ses épaules les coins de son châle : N'aspirez-vous pas à un amour partagé?

Je n'en sais trop rien, dit Axel. Cela fait tellement d'années que je fréquente l'amour non partagé qu'il s'est mis à avoir du piquant à mes yeux. Je suis un drogué de l'amour unilatéral.

Vous aimez les tortures délicieuses, voilà qui explique vos rides sur le front, fait Lottie en se forçant à rire.

Et comme Axel semble très heureux, elle simule le même bonheur enjoué, sans poids et sans profondeur : Pensez-vous que nous ayons commencé une liaison?

Appelez cela comme vous voudrez, fait Axel. Mais pourquoi voulez-vous à tout prix mettre un nom sur une exception? Pour moi c'est un sentiment vaste et exaltant, et cette définition me suffit. Ou alors, si vous préférez, disons que plane sur nous un brouillard d'amour impersonnel. De l'amour séraphique. Je pourrai aussi bien dire : de l'amour sans partenaire. De nos jours, on n'aime que sexuellement, et c'est bien dommage, vous ne trouvez pas? Or je ne suis plus sexuel que par intermittence.

Ah, dit Lottie. Il me semble qu'autrefois j'ai aimé mes poupées de cet amour-là. Avec plus de violence qu'aucun homme.

Qu'en avez-vous fait ?

Brûlées vives, le jour de mon mariage.

Lottie a penché la tête, de sorte que son front touche maintenant la gorge d'Axel. Son regard s'enfonce dans le sol entre ses bottines.

Si j'en crois votre frère, vous n'avez pas toujours dit que toute sexualité n'est que cabrioles !

Pour les cabrioles, vous n'avez pas assez l'air d'un garçon, coupe Axel.

Et avec les femmes, insiste-t-elle, avez-vous une grande expérience sexuelle, je veux dire une pratique du matériau vivant ?

Non, dit Axel. Peut-être justement parce que je ne trouve pas que les femmes soient un matériau vivant.

Lottie sourit mélancoliquement : Je suis donc déjà un échec sexuel ?

M. de Buffon vous éclairerait sur ces histoires de glandes, mais cela devrait vous apporter un certain apaisement que de savoir qu'on n'y peut rien !

Axel pose un baiser sur la joue de Lottie : Vous…, vous troublez mon équilibre glandulaire, dit-il avec un petit soupir clownesque. Et ne comptez pas sur moi pour vous faire des scènes, ou vous attendre sous la pluie pour des esclandres à me couvrir de honte, ou un chantage au suicide, soûl à rouler par terre, à cinq heures du matin au milieu de vomissements et d'insultes et de protestations d'amour.

Êtes-vous sûr à ce point de pouvoir vous maîtriser parfaitement ? Pourriez-vous vraiment vous empêcher de fondre dans les bras d'une femme ?

Si je vous le prouve, vous souffrirez beaucoup, dit Axel.

Oui, je crois que je perdrais toute confiance en moi.

Votre langue, si vous la tendiez dans ma bouche, me ferait l'effet d'une limace.

Vous me dégoûtez aussi, mon cher Axel.

Et pourtant à vos côtés je me sens merveilleusement revigoré, la perspective de vous quitter me ferait peur.

Et pourtant je vous trouve d'une vitalité scintillante. Vous me faites exploser de joie. Et même le dos de votre manteau, quand vous allez rentrer chez vous et que je vous suivrai des yeux, aura un merveilleux air d'intégrité, de gaieté et de force.

Non. Je n'ai pas complètement perdu la tête.

Tu parles.

Je suis amoureux de cette fille, Wilhelm.

Wilhelm s'affaisse sur une chaise. Soufflé. Dépité. Jaloux.

Merde, dit-il, quel merdier, je croyais que tu n'aimais pas les filles, qu'il y avait entre vous une certaine dose d'antipathie physique, et voilà que tu te paies la plus immature, la plus sexuellement immature, elle n'a aucune aspiration sexuelle, tu te goures, elle ne voudra jamais de toi, et en plus la femme de Marcus Feld, tu es au courant qu'elle est la femme de Marcus, j'imagine. Tu ne feras décidément rien comme tout le monde.

Elle n'est pour ainsi dire pas mariée. Lottie a une force immense et subversive. Elle est vierge et libre, je t'assure.

Wilhelm hoche tristement la tête : T'es mal parti, fiston, tu t'en rends compte ? Et puis c'est un bas-bleu. Toutes ces courageuses petites femmes qui se donnent la peine d'apprendre le latin et les mathématiques… Qu'est-ce qui les y force ? Elle et toi, ça fera l'effet d'une trahison. Et puis c'est une collectionneuse de grands hommes, méfie-toi, elle a un flair remarquable pour les génies, elle ne tombe amoureuse que des génies… Et vous voulez vivre ensemble, évidemment.

Non, bien sûr, ça ne servirait à rien…

Comment ça ?

Je n'en vois pas l'intérêt.

Comment ça ?

Laisse tomber.

Wilhelm se mord la lèvre : De mieux en mieux. Tu es fou. Je crois que je te préférais encore avant, quand tu naviguais dans les corps, les yeux bandés, sans savoir où, sans savoir qui, tu ne savais pas ce que c'était que l'amour, tu voulais jouir et c'est tout…

Je ne croirai pas une seconde que tu regrettes ce temps-là.

Tu as pris ta décision ?

Laquelle ?

De partir avec elle, ou quelque chose comme ça.

Absolument pas, dit tranquillement Axel en prenant les mains de Wilhelm dans les siennes. C'est très bien ainsi et je ne vois pas pourquoi les choses changeraient. Je ne l'aime pas dans le sens où tu l'entends. Et à vrai dire je ne connais pas d'amour de cette sorte que je pourrais te citer en exemple. J'observe, j'attends, sans récompense ni remerciements en vue…

Si, mentalement, Axel peut prendre feu pour une femme, ce n'est pas le cas physiquement – ou plutôt il se croit apte à maîtriser parfaitement cette flamme, face à Lottie, et il en est fort aise. Il dit même à son frère qu'il se sent capable de coucher dans la même chambre que Lottie sans avoir de pensées séditieuses.

Alors ce n'est pas de l'amour ! s'exclame Wilhelm, presque soulagé. Oublie-la, attends la gentille petite pas compliquée qui va t'accrocher un de ces jours !

J'espère bien que non. C'est un amour immense, inconnu de tes romans à l'eau de rose… et pourtant je n'ai même jamais essayé de lui embrasser les genoux à travers ses bas. Je ne rêve pas non plus d'une chambre à coucher commune. Ses seins ne me parlent pas, ils sont muets et moi sourd… Et pourtant je voudrais être toujours avec elle, je lui fais des confidences trop fortes pour des personnes de sexe opposé, et si nous continuons à nous voir si souvent je m'expose à ruiner sa réputation.

Je n'ai pas l'impression qu'on avance beaucoup, je préfère aller me coucher, fait Wilhelm. Je ne comprends rien à ta psychologie.

Qu'est-ce tu veux savoir ? Comment je la baise ? Ça ne me coûte rien d'être chaste. Je ne la désire pas.

Tu te moques de moi, dit Wilhelm, personne ne peut vivre ainsi !

Il y a d'autres maîtres, plus enragés et plus sauvages que la libido charnelle. Par exemple l'envie de franchir un océan. Je ne connais pas de rut plus épouvantable que l'envie de foutre les océans du monde, affirme Axel d'un ton incroyablement convaincant.

Agacé, Wilhelm prend congé. La porte s'entrouvre. La lampe le dessine en silhouette dans l'encadrement. Son ombre mince s'allonge un bref instant sur le visage d'Axel.

Pas la peine de te sauver si vite.

Qu'est-ce qui te fait penser que je me sauve ? À demain, dit Wilhelm. J'espère que j'y verrai un peu plus clair.

Bonne nuit.

Axel boit un fond de café qui a refroidi dans la tasse. Il y a du marc. Il le fait tourner à la manière d'un diseur de bonne aventure, prend un air plutôt pessimiste et allume son dernier cigare avant le coucher. Il souffle la lampe, revient s'asseoir et continue à fumer dans le noir. Des nuages d'orage sont arrivés du nord dans l'après-midi et le temps tourne au froid. Il tire lentement sur son cigare qui s'embrase. Et puis il fait de la main un geste insolite et gracieux qui répand la fumée en volutes. Il aime Lottie et, puisqu'il l'aime, il fait les choses comme elle les fait. Il répand sa fumée en volutes. Et les cheveux aussi, qu'il a laissés pousser et coiffés comme Lottie, sur le côté. C'est très apaisant de se coiffer comme Lottie. De lui ressembler. Un poids en moins à traîner.

Ça va faire un an en février qu'Axel a failli se pendre pour avoir perdu Reinhard. Et aujourd'hui il aime follement une femme qu'il ne désire pas et n'a d'ailleurs nulle intention de toucher. Il ouvre la fenêtre. Le mégot qu'il a jeté décrit une lente parabole rouge et retombe de l'autre côté de la cour.

VIII

La royauté est morte à Varennes. Travesti en domestique, Louis cherchait à s'enfuir par la porte de service. On a arrêté dans l'Argonne ce petit économe de grande maison, très consciencieux dans son habit de serviteur, et il fut reconduit à ses fourneaux. Ensuite, la Révolution française s'est emballée. Dérapage dans le sang. Fouché et Collot d'Herbois qui dirigent la répression au nom de la Convention publient un manifeste où leur conscience terroriste s'étale en toute nudité : N'est-ce pas sur les cendres des assassins du peuple qu'il faut établir l'harmonie générale, la paix de la félicité publique ?

Le total des personnes exécutées, emprisonnées ou persécutées en France ayant atteint la limite au-delà de laquelle il était impossible, même pour la conscience prussienne la plus neutre d'observer un silence complice, Wilhelm von Kemp a rejoint Axel et ils font du raffut dans les cafés. Ils dansent, ils fument, ils jouent au tarot, Axel écrit à Lottie des lettres de trente pages (Et brusquement vous, sauvage, glissante, vous êtes exténuante dans ma vie, ma grande fille cérébrale, votre lettre m'a fait une joie folle, j'ai beaucoup pensé à votre esprit, à votre caractère, tout m'est si cher et sympathique, votre esprit a l'agrément de ne pas peser sur celui d'autrui, ce que fait par exemple l'esprit de mon frère, ou celui de ma mère, ils serrent le mien et l'oppressent, mon esprit est défaillant au voisinage du leur…), quant à Wilhelm il imagine des discours à tenir sur l'échafaud quand il y montera à son tour, de petites merveilles de sang-froid et de stoïcisme, car aucun Allemand de moins de trente ans ne doute qu'il jouera un rôle exemplaire dans une révolution, où qu'elle advienne.

Tu crois que sous le couperet on ressent la douleur ? a demandé un jeune ingénieur.

Peut-être pas la douleur, dit Axel, mais en tout cas la terreur de se voir séparer de son corps, de se voir mort. On a vu bouger les lèvres d'un décapité. Avec des poumons ces lèvres auraient parlé.

J'ai vu un exemplaire de la Constitution relié en peau d'aristocrate imitant le veau.

Les Français font de la saucisse d'enfant.

Je ne te crois pas !

Des tonneaux pleins d'os partent sur des navires pour servir d'engrais en Angleterre.

Saint-Just a déclaré qu'il renonçait à l'amour. Du coup il a envoyé à l'échafaud une fille superbe. Et fait préparer sa peau en gilet. En laissant les marques des mamelons.

Preuve que ses pensées sont pures, ricane Wilhelm.

Il n'empêche qu'il a envoyé au couteau, chaque lundi à la même heure, quelques pleines charretées d'hommes.

Une seule tête est tombée dans la Creuse, neuf à Limoges, place de la Fraternité, et onze en Corrèze. C'est bien peu de chose, non ?

Installons-nous en Limousin !

La Terreur semble avoir révélé que, chez la plupart de ceux qui façonnèrent la démocratie en France, il n'y avait pas plus d'instinct démocratique que dans une bordure de trottoir devant le château de Versailles. Des mois que les Français coupent des têtes et qu'on se demande en Allemagne et ailleurs s'ils étaient bien dignes d'accoucher le monde de la liberté. Et pour Axel, des demi-éternités à traîner sa déprime de fonctionnaire en rampant dans les veines souterraines de l'Allemagne, toussant et doutant de toutes ses amours, y compris les politiques. Le temps aussi rampe comme une limace. Mais il s'est promis de poser bientôt fermement ses pieds sur la terre. Il n'y a plus un homme, il n'y a plus qu'un mouvement en avant. Il n'y a plus qu'un mot et c'est partir.

Manque l'étincelle. Axel hésite d'autant plus qu'il y a Lottie maintenant. Lottie est un nouveau continent. Peut-être qu'il devrait commencer par elle, la mesurer, l'explorer, la connaître. Et ensuite seulement le reste de la terre. Il n'avait jamais pensé, et personne autour de lui, qu'une femme pourrait faire concurrence à la terre dans le cœur d'Axel von Kemp.

L'étincelle manquait, et un beau matin c'est réglé.

Un beau matin, à son corps défendant, ce cerbère d'Elizabeth appuie sur le détonateur.

C'est d'abord le palefrenier qui raconte l'événement aux cuisinières du château de Regel. Comment Lottie Feld, descendue du bois comme folle, a traversé le parc en s'empêtrant dans sa robe, les jupons cramés et noircis. L'homme l'a vue foncer la tête la première en une course ivre, s'engouffrer dans un buisson de ronces comme s'il ne lui arrachait pas la figure, puis gravir en chancelant les marches du perron jusqu'à ce que les chiens affolés la jettent par terre.

Il est arrivé un malheur, suppose aussitôt la cuisinière.

Lottie griffe le marbre de l'entrée comme un animal, sans même tenter de s'expliquer. Elle darde des regards affolés vers le bois d'où monte une colonne de fumée. Elle s'est relevée tant bien que mal, a échappé aux valets pour repartir de plus belle.

Elle a la rage ? Ou on a essayé de la zigouiller…

Lottie fonce tête baissée dans l'escalier de la cave, il mène au laboratoire d'Axel.

Le majordome qui sort du cellier s'étonne, fait un pas derrière elle, la hèle.

Lottie se retourne. Ses vêtements sont déchirés, les lambeaux de son corsage volettent autour d'elle et elle est couverte de sang et de suie.

Qu'est-ce qui se passe ? crie le majordome.

Lottie se retourne. Elle voudrait hurler. Des sanglots gargouillent dans sa gorge desséchée. Puis elle s'enfuit à toutes jambes dans les couloirs sombres en appelant Axel au secours.

Elizabeth avait sans doute dans sa tête déjà plus ou moins "fiancé" Axel avec Lottie dès le moment où elle avait lu le nom de la jeune femme dans une lettre d'Axel, et Dieu sait qu'il ne traçait pas souvent les lettres d'un prénom féminin. Elle savait déjà, par ce que son fils disait de Lottie dans ses lettres de Freiberg, à quoi s'en tenir sur les rapports mystérieux qui existaient entre eux. Il était tout admiration, il pensait même avoir incontestablement grandi de quelques centimètres depuis qu'il la fréquentait.

Le pauvre agneau aveuglé n'a jamais été ne serait-ce qu'à moitié aussi enthousiasmé par un être féminin, pensa Elizabeth, sans bien savoir s'il fallait s'en offusquer ou s'en réjouir.

Bien sûr elle savait que Lottie était mariée. Elle connaissait Marcus Feld. Elle connaissait aussi la plupart des maîtresses de Marcus Feld. Elle décida de s'intéresser à Lottie, par curiosité, sans dessein particulier.

Une ou deux fois par semaine elles sortaient, elles buvaient du thé, elles faisaient du cheval.

Je me suis mariée avec Marcus pour éviter poèmes et catastrophes, pour ne pas être ridicule, pour être humaine, avoua Lottie un beau matin.

Alors vous aimez vraiment mon fils ? demanda Elizabeth.

Je me demande souvent de quel astre nous sommes tombés pour nous rencontrer… Quand nous sommes ensemble, nous nous élevons à six mille mètres au-dessus des choses humaines. Depuis trois semaines nous nous tuons littéralement à parler environ dix heures par jour. Et nos conversations nous mènent toujours sur le bord des gouffres, ou sur des sentiers de chamois, et si quelqu'un nous entendait, il croirait surprendre la conversation de deux diables ! Hier soir il m'a dit : Depuis que vous me parlez, j'ai l'impression de vivre près de vous.

Oh mon Dieu, fit Elizabeth, comme si elle pressentait déjà une très douce catastrophe.

Elles restèrent un moment sans parler puis Elizabeth se mit à brosser un cheval qu'on venait de lui amener. Son dernier achat. Ce cheval était un hongre, un alezan doré.

Il a six ans, et une bien bonne bouche, annonça-t-elle. Allons nous promener. Montez Victoire, elle est très docile.

Lottie se hissa souplement sur la selle.

Je suppose que vous n'aurez pas peur de galoper en forêt, voilà plus de trente ans que je n'y ai pas entendu le hurlement d'un loup.

Les deux femmes trottèrent jusqu'au petit bois. Il faisait frais, un peu humide. Comme à l'accoutumée Elizabeth montait sans bride, rien qu'avec une corde passée autour du chanfrein de l'alezan doré. Elle galopa un moment et revint d'une main légère en exécutant un demi-tour devant Lottie.

Je n'ai jamais vu quelqu'un monter avec autant de grâce, remarqua Lottie avec admiration.

Je n'ai jamais été ce qu'on appelle une dresseuse de chevaux, mais ça ne fait pas de doute, ce cheval a de la classe à toutes les allures.

Un petit carnet vétérinaire était glissé dans la tige de sa botte. Elizabeth le sortit et consulta ses notes, puis le remit en place. C'est en se redressant qu'elle perdit l'équilibre. Le cheval avait fait un écart. Ensuite il freina des quatre fers et rua deux ou trois fois avec violence parce qu'un chien accourait en hurlant.

Elizabeth fut éjectée et sa tête porta sur une pierre.

À la tempe droite, Elizabeth porte une sombre traînée de sang délayé.

Je vais essayer de vous aider, dit Lottie.

Elizabeth esquisse péniblement une ombre de sourire : Vous êtes forte. Donnez-moi le bras. Emmenez-moi dans la cabane du garde-chasse. Je pourrai marcher, je crois.

Ses cheveux sont poisseux de sang. Les mains de Lottie également. Il lui faut un moment pour parvenir à comprendre qu'Elizabeth ne pourra pas se redresser.

J'ai froid, gémit Elizabeth.

Sous elle l'herbe est mouillée et elle grelotte. Lottie lui palpe les jambes pour savoir si elle a quelque chose de cassé. Elle n'en sait rien. Elle glisse les mains sous les fesses d'Elizabeth et réussit à la relever, puis à la soulever. Elle la porte contre elle, la traîne. Une jambe qui pend joue avec toutes les touffes d'herbe, et freine encore la marche.

Il n'y a qu'une petite fenêtre dans la cabane du garde-chasse, un carré gris découpé dans du bois sombre. Lottie cherche le pouls d'Elizabeth. Il fait chaud dans la cabane, le garde-chasse est sorti mais il a laissé un petit feu douillet. Lottie peut sentir sa propre transpiration sous ses aisselles, tandis qu'elle enveloppe Elizabeth dans de lourdes couvertures. Elle a bourré la cheminée de bûches fraîches, aussi haut que possible, on entend le craquement des broussailles qui commencent à prendre, une lueur orange bondit entre les planches. Une gerbe d'étincelles jaillit, se disperse, perdue dans la fumée, retombe, marquant de rouge sa chute.

Je vais chercher de l'aide. Vos vêtements sécheront vite. Vous n'aurez pas froid, n'est-ce pas ?

La veste de Lottie est pleine de sang. Quand elle se redresse, son visage aussi est barbouillé du sang d'Elizabeth.

Je vais revenir très vite.

Elle s'en va, la bouche vampirique. La cheminée hurle sous l'énorme tirage. Une bûche dégringole dans les flammes. Une braise retombe près d'Elizabeth avec un long sifflement.

Lottie court dans la forêt en hurlant pour appeler le garde-chasse. Le temps d'arriver au parc de Regel, sautillant et dansant dans les hautes herbes comme un esprit de la pluie, elle halète, ses jambes ne la portent plus. Enfin la pelouse, qui va la mener en pente douce jusqu'au perron.

Elle sent alors une odeur de fumée, mais elle n'y prête pas attention, jusqu'au moment où elle se dit que cette fumée a tout de même quelque chose d'âcre et de piquant, et au fond d'assez familier, elle comprend que c'est du pin qui brûle, c'est-à-dire du bois de construction, non pas du bois de chauffage.

Gagnée par le pressentiment d'un désastre, elle fait quelques pas en arrière. Maintenant elle voit l'épais voile fumant qui monte de la forêt. Trébuchant de fatigue, ne sachant pas exactement s'il faut retourner ou s'il faut persévérer dans l'idée de chercher du secours, elle s'accroupit un instant pour délibérer. Des rouleaux de fumée montent des arbres.

Le feu s'est approché d'Elizabeth, il s'est mis en devoir de liquéfier sa robe qui avait commencé à sécher, soigneusement déboutonnée par Lottie. Son jupon est aussi entièrement lacéré, et son corps apparaît dans la lumière.

Je serais heureuse que Georg puisse me voir. Je ne sais plus s'il aimait me voir nue. Cela fait si longtemps.

Ça la fait sourire. Du coup elle est belle. Le sang apparu aux endroits blessés, mais pas encore consumés, se coagule, si bien que son corps est bientôt d'un beau rouge de vitrail, à la fois dense et translucide.

Les flammes caressent la protubérance de son sexe tout en la détaillant. Leurs doigts vont et viennent, leurs ongles accrochent ses mamelons dressés. Ses poumons encore pleins d'eau résistent longtemps puis explosent dans sa poitrine, tandis que sa bouche expulse un jet brûlant de vapeur d'eau. Goethe, s'il avait pu le voir, l'aurait pris peut-être pour une âme.

Puis le toit s'effondre et, avec lui, une plaque de métal tranchant. Ce scalpel s'enfonce profondément dans le cou d'Elizabeth, tirant une ligne droite jusqu'au pubis. L'instant d'après, une deuxième feuille de tôle glisse et ce couperet mord au même endroit, l'ouvrant presque en deux. Le métal est brûlant. Le feu touche encore au sexe, le corps a un sursaut. Léger frôlement des flammes sur le clitoris. C'est un bruit délicat, mais stimulant, qui se propage dans le corps tout entier. Les jambes, découpées à une vitesse incroyable par la main experte du feu et unies comme une queue de Sirène, sont réduites à une masse de chair grillée. Parmi les morceaux de bois de différentes tailles, ses bras tachés de sang bouillant font comme deux tasseaux étincelants. La couleur des mamelons est devenue violette. Le feu sort un couperet de son étui. Après avoir ouvert et écarté les muscles, il applique la lame à la racine des côtes et commence à les découper une à une. Ce bruit sec se répercute à travers la pièce. Une fois le cœur consumé, la poitrine d'Elizabeth apparaît curieusement vide.

Lottie et le garde-chasse sont debout dans la rosée, la mâchoire pendante, le visage laqué de jaune vif dans la sphère de chaleur. Les flammes courent du haut en bas des lattes comme des écureuils en feu. Sur le toit, changé en brasier, on peut voir se tordre la tôle, bouclant comme du papier d'argent. En quelques minutes la cabane est un mur compact de braises. Le toit s'effondre dans un grand souffle. Et aussitôt le plancher commence à basculer, animé de longues secousses de plus en plus puissantes. On doit encore reculer, car la chaleur est intense. Au bout d'un moment, de la vapeur se met à monter de la terre.

Lottie et le garde-chasse ont emporté les cendres d'Elizabeth sous leurs semelles, dans les revers de leurs vestes de velours, dans les poils de leurs narines, le sel sur leur langue. Des jours ils l'ont portée sur eux comme une odeur de fumée.

Wilhelm traverse la propriété à cheval, monté sur l'alezan doré, prenant des notes dans un petit calepin noir, notant les réparations qui devront être faites avant la prochaine saison, évaluant (de façon très imprécise) les sommes nécessaires. Il est particulièrement contrarié par l'aspect du cimetière où les belles stèles anciennes en marbre, et surtout le mausolée où Georg et Elizabeth se sont enfin retrouvés, avec ses admirables colonnes corinthiennes, sont dans un état déplorable. Les morts négligés de la sorte risquent de se venger, c'est bien connu.

Mais Wilhelm ne se contente pas de se plaindre à son frère pour la forme, il est épouvantablement sérieux : Si tu me laisses diriger la maison et que tu me donnes ta part d'héritage, je pourrai sauver Regel. Tu y vivrais, avec ma femme et moi. Tu aurais ton laboratoire et ta serre. Si nous prenions soin de toi, peut-être que tu te porterais mieux…

Depuis la mort d'Elizabeth, une étrange inertie paralyse Axel. Il lui arrive de s'arrêter au milieu d'une déclaration passionnée et de se détourner brusquement, avec un geste résigné du bras, comme pour dire : De toute façon, je ne m'en sortirai pas.

Il ne veut plus voir Lottie. En fait il a perdu à nouveau le sens de sa vie.

Mon cœur ne peut évidemment pas être profondément touché par la perte de ma mère, avait-il confié à Caroline. Et puis ce n'est pas ma première mort.

Il pensait que les cadavres des soixante mineurs de Freiberg dans leur tombeau d'éboulis l'avaient immunisé à jamais. Ce qu'il se gourait.

En mourant, Elizabeth a fait remourir le major Georg von Kem dans son masque de plâtre. Et Cook et Gabriel et Reinhard remeurent en même temps qu'elle. Elizabeth a englouti la planète, Axel n'a rien vu venir.

Nouvelle dépression. Il consulte un médecin, prend des gouttes, les yeux morts, se levant à peine, mangeant du bout des dents, se recouchant, éteint, morne, apathique, les heures lui glissent entre les doigts par centaines, ayant oublié ce qu'il aurait pu être, ayant oublié Jefferson et Lottie, s'étant oublié lui-même.

Fin janvier, il se rend en titubant au cabinet d'un notaire qui lui remet la somme de quatre-vingt-dix mille thalers, de quoi donner sa démission de bougnat pour s'en aller réfléchir un peu à ce tour du monde, des deux pôles aux cinq océans. Mais maintenant que tout est matériellement possible, Axel est bien embarrassé de sa liberté, se demande ce qu'il pourrait bien en faire. Ce qu'il a réellement le droit d'en faire. Une ou deux fois, il pense sérieusement céder sa part à Wilhelm, tout lui donner pour retourner se soûler en paix. Il consigne ça dans ses journaux, ses doutes et le fait qu'il rêve chaque nuit de sa mère. Au lieu d'être sur un bateau à faire le gros dos au soleil du Cancer, il va se torturer, il expiera dans sa chair la mort d'Elizabeth, car bien sûr il s'en impute la responsabilité, il ne l'a jamais écoutée, il l'a toujours fait souffrir, il est un moins que rien dont elle a toujours eu honte. Ce chagrin dont il ne se croyait pas capable, il va l'exprimer à sa manière. Ne se flagellera pas, ne se fardera pas de cendres, ne se coupera pas la langue, mais s'électrocutera, jusqu'à l'évanouissement.

À la Chandeleur, Lottie lui rend visite : Qu'est-ce que vous faites à gémir, aidez-moi au lieu de vous complaire dans ces enfantillages ! Vous tenez vraiment à gâcher ce qui vous reste de jeunesse en la vouant à Mme votre mère ? Qu'est-ce que vous voulez prouver ? Que vous l'aimiez, ou qu'elle vous a aimé ? L'un et l'autre sont menteurs et vous le savez très bien. Aidez-moi ! Croyez-vous que je puisse encore me regarder en face ? J'ai tué. L'idée que j'ai ôté une vie, je ne peux pas l'accepter. J'essaie de ne pas en crever à mon tour.

Ça n'est évidemment pas votre faute, murmure Axel. Je sais à quoi m'en tenir là-dessus.

Vous avez besoin d'air, ajoute Lottie. Et maintenant moi aussi. Vous ne croyez pas que ce serait du plus grand chic d'aller courir le monde avec la meurtrière de sa propre mère ? Emmenez-moi avec vous. Je le mérite, non ? Depuis le temps que vous vous vouliez aller observer les petits oiseaux de l'autre hémisphère, c'est le moment, et je crois n'avoir jamais désiré qu'une chose : qu'on m'enlève ! Soyez mon Juif errant. S'il se déplace sans but ni raison, c'est pour perdre pied, sauvage aux pieds légers... Emmenez-moi de l'autre côté du monde, il ne nous faudra pas beaucoup de courage pour nous détacher de tout. Vivons ! Grandissons ! Nous sommes tellement à la traîne… Vous, depuis des années, vous n'êtes qu'un cadavre moral. Mais on va se rattraper, vous verrez ! L'écume de rage va se changer en écume d'inspiration. Loin d'ici, vous travaillerez mieux que jamais. Vous savez quoi, vous devez écrire une grande chose, ce sera votre deuxième vie, non, votre première vie, votre vie unique. Vous oublierez tout. Vous serez heureux. Vous serez superbement libre.

Lottie déteste vivre au milieu des fatigués. Elle n'admet pas qu'on ne se sente pas d'attaque.

Forcez-vous, dit-elle. Vous me faites penser à une plante grimpante qui semble avoir le désir de se continuer jusqu'à l'infini, mais qui hésite, qui cesse de s'étirer vers le haut, alors elle prolifère en chichis, en spirales, en lacets, en vrilles… Un jour ou l'autre, Axel, il faut prendre une décision. Choisir un cap et s'y maintenir.

Les hommes autour d'elle se partagent en trois catégories : les rêveurs dépressifs (Axel), les ronds de cuir ternes (Wilhelm), les jouisseurs cyniques (Marcus). L'histoire de Lottie Feld est donc celle d'une femme coincée qui déploie des efforts de plus en plus dérisoires pour vivre une vie qu'elle méprise et prend la décision conséquente d'y mettre fin, d'une manière ou d'une autre. Il est tout à fait possible que pour une juive berlinoise née en 1771, l'idée de traverser l'Atlantique avec un homosexuel ait été une forme très élaborée de suicide.

Une semaine plus tard, quittant Berlin en cachette et de nuit, Lottie a laissé un mot au crayon, adressé à Marcus Feld : Si j'avais plusieurs vies, je vous en consacrerais une, mais je n'ai qu'une vie.

IX

Des méduses violettes, des dauphins jusque dans le port. Autres indices des pays chauds, des cancrelats apparaissent sur les murs, des fourmis énormes se promènent sur la nappe, grimpent sur le pain, et il y a un lézard sous la cloche à fromage. Les habitants ont presque tous le type espagnol. Très peu ont le type berbère. Les autochtones qui peuplèrent les Canaries avant la conquête espagnole ont disparu aujourd'hui. On les appelait les Guanches. Certains les regardaient même comme les fameux Atlantes. Ici il y a encore des gens très beaux, les femmes presque toutes à mantilles, les hommes à moustaches et foulards, et de petites maisons de torchis vert amande, rose pâle ou mauve, à toit plat en terrasse.

Il est facile d'aimer la vie à l'étranger. Jamais on n'est à ce point son propre maître que là où personne ne vous connaît, où votre nom ne dit rien, ne suscite aucun souvenir, et où votre existence est donc exclusivement entre vos mains. Facile de venir à bout du malheur quand il ne peut plus prendre les dimensions de la honte, qu'il n'est plus réfléchi par les innombrables miroirs de l'entourage familier, et que leurs rayons d'infamie ne reviennent pas sur vous, concentrés, pour vous brûler.

Facile, à vingt et quelques années, de s'abandonner à la pure énergie vitale qui vous conseillera toujours de tout effacer et d'oublier.

Et donc facile de s'oublier soi-même quand on n'est rien ni personne. C'est la guérison, on peut enfin se perdre dans tout ce que le monde contient de belles choses. Le temps se passe ainsi à rêvasser, à remuer du vin tiède sur la langue, avec quelques soupirs d'aise qui tiennent lieu de conversation. Ici, il suffit de fermer les yeux pour voir Robinson en chapeau de poil de chèvre, Vendredi sur ses talons, portant leurs emplettes de chandelles de suif et de poudre noire.

Ici l'eau est froide, bien plus que sur les côtes de La Corogne où ils se sont embarqués sur la première frégate en partance pour les tropiques. Ce n'est plus la mer presque plane du littoral galicien, mais une eau courante, furieuse et cascadante. Malgré l'âpre vent d'ouest, les Prussiens apprennent à nager. Plonger est un sport vif et frais de toute la peau. Le froid surprend, saisit et stupéfie. Pourtant sur la plage on ne croyait plus possible d'avoir froid. Maintenant le froid et le bruit éclaboussant. Et la poussée continue de ce froid sur la poitrine. On fait aller les muscles massés d'eau froide.

Je passe devant. Vous n'avez qu'à me suivre, a dit Pablo, leur maître-nageur.

Lottie a retrouvé son assiette. Vidée de tout ce qui était juif en elle, elle croit étouffer de bonheur en se laissant tout bonnement remplir d'air pur. Sans le fardeau de Mme Feld, elle semble toute nue, étonnée comme une enfant.

Étourdi, frotté, décapé, attaqué par la vague sous toutes les coutures, Axel flotte tant bien que mal. Pablo a pris de l'avance, comme d'habitude, mais ensuite les apprentis reviennent sans trop de peine dans son remous.

Comment tracer une route à travers l'eau?

Nager serait à jamais une expérience espagnole. Flotter, couler, respirer, battre des pieds, autant de gestes ordonnés par Pablo dans sa langue et exécutés en espagnol par Lottie et Axel. La natation ne serait jamais une expérience prussienne. Elle ferait partie de leur corps qui se pense et se ressent en espagnol. Il était vraiment temps qu'une autre langue illumine, de son lointain ailleurs, ce qui constituait leur petit moi et leur petit univers.

En sortant de l'eau Pablo est venu s'allonger près d'Axel. La surface de l'océan miroite à l'infini, le soleil fait la roue, les objets n'ont plus d'ombre. Pablo sourit. Axel demeure quelques minutes sans bouger, les cheveux embroussaillés, mouillés, avec une ombre dans le regard.

Lottie, c'est ta femme? demande Pablo.

Non, dit Axel.

Alors ta maîtresse?

Je ne crois pas, dit Axel.

C'est ta sœur.

Non plus.

Alors elle est à moi?

C'est un peu plus compliqué que ça, dit Axel.

Pablo le regarde, stupéfait. Puis il se redresse et s'éloigne lentement, en bouchonnant sa serviette pour en faire un ballon. Lottie au loin l'appelle. Pablo fait celui qui n'entend pas. Elle est nu-pieds et porte une combinaison de bain masculine. Elle vient vers lui.

Pablo, l'air gêné, se tourne vers Axel : Alors c'est qui, elle ?

Axel ne dit rien.

Lottie s'arrête devant Pablo. Il trace de la pointe du pied des figures dans le sable humide.

Viens, on retourne se baigner, dit-elle à Pablo.

Axel est ton homme ? fait-il doucement.

Allons nous baigner, répond seulement Lottie.

Elle s'arrête pour regarder Pablo dans les yeux et soudain, comme sous l'effet d'un souvenir, d'une impulsion, elle tourne gracieusement le buste, une main sur la hanche, et par-dessus l'épaule elle sourit à Pablo. Pablo est frappé d'étonnement et presque épouvanté par ce visage tellement séduisant. Il s'assied brusquement. Sa carotide bat. Pablo doit bomber le torse pour être à la hauteur de ce regard. Et comme c'est un type bien, il va faire sa cour, s'apprête à faire risette à la grande Allemande aussi brune qu'une Espagnole, pour lui réapprendre tout de l'amour, par le commencement s'il le faut, avec une merveilleuse, une inépuisable, une radieuse patience.

Lottie préfère nager. Elle regrette déjà cette œillade. Elle ne désire pas la compagnie de cet homme brun. Il lui donne trop l'impression d'être n'importe qui.

Lottie nage en tête, elle bat doucement la surface avec le jeu de ses pieds nus, résiste à l'assaut des vaguelettes brillantes. Elle s'en va loin devant. C'est au tour de Lottie de défricher la mer. Elle n'a jamais vécu une pareille chose. De l'écume et des bulles plus grosses jalonnent sa route. Quand, fatiguée, elle s'allonge sur l'eau, elle sourit à Pablo en faisant la planche, elle regarde le ciel au-dessus d'elle, seulement le ciel. Quand on est dans l'eau et qu'on regarde le ciel, on ne voit plus l'eau.

Bientôt Lottie refusera de cesser de nager, fût-ce un jour ou deux.

Elle passe six ou sept heures dans l'eau. Quelque chose la pousse sans cesse à l'ouvrage. Son corps, désormais incapable d'indolence, se montre soudain assoiffé d'action violente, l'incitant toujours plus avant. Elle comprend d'autant mieux Axel. Elle a pigé elle aussi comment cette vie, qui ressemblerait pour d'autres à un genre d'obsession délirante, vous nettoie. Sa consolation, elle la trouve dans l'effort mais aussi dans ces menues résurrections qui ont lieu après l'effort. Mouvements incessants, efforts à en crever, morts violentes incessantes, résurrections tout aussi violentes, évasions incessantes, désormais sa vie ne pourra plus se passer de ces mystères.

Parce que nager est un mystère. À partir d'une certaine limite, on continue à se mouvoir automatiquement, sans même se rendre compte que l'on bouge. Au bout de quelques heures, on acquiert une sensibilité extraordinaire au magnétisme lunaire. On sent la lune qui tire la mer, qui l'aspire, et alors la nage en est grandement facilitée. On fait des mouvements amniotiques, embryonnaires. La mer de lait, la mer vitale, la mer nourriture. La vie doit flotter comme une algue.

Parfois l'aube est glacée, la brise matinale vous gèle jusqu'aux os. Le froid a de quoi vous faire renoncer. On a les mains engourdies. Et pourtant on y va. Il faut faire l'expérience de sa force, de cette pure sensation d'aller au-delà. Voilà la seule pensée digne de ce nom.

Jamais je n'ai ressenti avec autant d'acuité le plaisir de me pousser à mes limites, a dit Lottie à Pablo. Jamais je ne me suis sentie aussi sûre de posséder le point du jour.

Un jour, elle est sortie de l'eau et s'est ébrouée sur la plage après des heures d'effort. Le vent a joué sur ses muscles chauds. L'eau mêlée de sueur s'est dissipée comme par enchantement. Une fraîcheur a effleuré la surface de sa peau. L'instant d'après, elle était libérée du sentiment de vivre en pays étranger.

L'impression d'être là, vivante, depuis toujours.

Et puis des mots lui sont venus, des mots qui, dans son cas, avaient précédé la chair : intrépidité, courage, endurance. Maintenant ces mots se manifestent en elle par des signes corporels, en même temps qu'elle prend conscience de sa forme naturelle, de ses muscles, de ses os, de la forme de ses fesses, de la largeur de ses épaules, autant d'éléments qui sont en Prusse, pour une femme, absolument dépourvus de signification pratique – sinon la largeur du bassin, pour des raisons obstétriques –, des muscles chez une femme étant pour la plupart des esprits européens aussi superflus qu'une éducation militaire.

Lottie palpe ses muscles neufs comme elle l'avait fait autrefois pour ses seins naissants. Mais cette fois, au lieu de l'élan romantique vers la mort et les émotions faiblardes que les romans suggèrent aux adolescentes, elle ressent une tension, une peau rêche, des formes qui ont acquis peu à peu des propriétés semblables à celles du bois, quelque chose qui doit correspondre, pense-t-elle, à un esprit combatif et intrépide.

Dans son journal, elle écrit : Je me retrouve dans la peau d'un jeune garçon prêt à vivre plutôt que dans celle d'une jeune femme câline, à la superficialité à l'eau de rose, confite dans la bêtise amoureuse. Je suis enfin entrée dans ce que j'appelle déjà, avec gourmandise, "les merveilleuses années de ma jeunesse passée à l'étranger". J'espère qu'Axel ne me trouvera pas lourde et rebutante.

Un soir, à l'auberge, Pablo tente une nouvelle fois sa chance. Il fait sa cour comme un animal. Très droite, la chevelure encore humide, Lottie est seule, elle a presque fini de dîner. Pablo lui sourit. Lottie lui répond avec une timidité enfantine. Nouveau sourire de Pablo, cette fois un peu anthropophage. Souriant toujours, il demande s'il peut occuper la place libre face à Lottie.

Bien, bien, toussote Lottie. Pourquoi pas.

Pablo et Lottie contemplent la mer grise et plate.

On y retourne ? propose Lottie.

Trois dauphins au loin pendant qu'elle avance dans l'eau jusqu'aux mollets, aux genoux, à la taille.

Pas trop vite, crie Pablo.

Il l'a encore répété ce matin : n'allez surtout pas vous baigner sans vous protéger des vives enfouies dans le sable, ce sont des vipères, oh, les garces, méfiez-vous-en comme de la peste, évitez les grandes enjambées, faites de tout petits pas en remuant bien l'eau pour les effrayer et leur laisser le temps de se sauver.

Mais Lottie veut fuir le jeune homme, le plus vite possible. Dans sa crainte d'être rattrapée, elle marche encore plus vite, à grandes enjambées, elle essaie de gagner une eau plus profonde pour s'élancer.

Quand une vive se sent menacée, elle dresse son aiguillon venimeux et elle éjacule un venin très puissant. Lottie ressent tout d'abord une douleur extrêmement vive, puis une sensation de brûlure qui s'étend jusqu'à la hanche, c'est une piqûre hallucinante, immédiatement suivie d'un repli angoissé à l'intérieur de soi. La vive est donneuse de folie, le dard de la vive oblige irrésistiblement à une agitation folle, le cœur plein de peur et de colère, et Lottie s'écroule, elle coule, mais elle ignore tout à fait qu'elle est en train de se noyer.

Quand elle regarde encore une fois l'horizon, elle est seule dans une longue et épaisse nappe de brouillard. Il lui semble qu'elle porte une longue barbe de sel. Ou de salive. Elle ne peut pas s'essuyer la bouche. D'ailleurs ce serait bien inutile puisque ses mains sont mouillées. En fait, elle n'a ni mains ni bouche. Elle a l'impression qu'elle a perdu sa combinaison de bain, elle est nue, sa peau lui pend, elle est déguenillée. Partout où elle pose le regard, quelque chose aussitôt se met à briller comme une larme sur un petit rocher de sel. Ses yeux rayonnent devant la colère venimeuse d'une petite bête outragée.

Pas de chance avec les hommes, souffle-t-elle. Elle ferme les yeux. Elle s'est évanouie.

Sortez la victime de l'eau, dit le manuel médical, et allongez-le. Placez le membre touché en position surélevée par rapport au reste du corps. Enlevez de la plaie les éventuels débris qui pourraient s'y trouver. Ne posez pas de garrot sur le membre atteint. N'incisez jamais la plaie et ne cherchez pas à la faire saigner. Ne sucez pas la blessure pour aspirer le venin.

Appliquez le plus tôt possible une source de chaleur sur la plaie en évitant de brûler le blessé.

Un pêcheur approche le bout incandescent de son cigare.

Non, crie un autre pêcheur, il faut pisser dessus, ça chauffe et ça nettoie en même temps.

Arrêtez, dit Axel, ça suffit, laissez-la tranquille, allez-vous-en tous ! Je suis là, dit-il.

Et, à genoux sur la plage, Axel arrose la plaie au pied, la douceur de son urine berce la plaie.

Pour Lottie c'est un long, un très long soulagement.

Le pied est enflé. La piqûre de la vive a laissé un trou violet sur la peau claire. Axel a posé sa main juste là et c'est le geste le plus délicatement intime qu'on ait eu pour elle, depuis la nuit des temps, pense Lottie.

C'est une grande chance d'être eunuques comme nous le sommes, remarque-t-elle. Rendez-vous compte que si nous avions déjà couché ensemble, votre urine n'aurait pas eu ce pouvoir presque magique de me donner du plaisir. Et devant tout le monde !

La vive lui a enfoncé dans la plante du pied quatre centimètres d'aiguillon empoisonné. Maintenant que le pied a été réchauffé, un flot de sang s'échappe de la blessure. Lottie a tant saigné qu'on espère qu'il ne lui reste plus une seule goutte de venin dans le corps. Axel lui administre alors une dose de laudanum à faire dresser les cheveux sur la tête. Le lendemain matin le pied a doublé de volume et, tout autour de la piqûre, sur un espace grand comme la paume de la main, la chair est boursoufflée, noire et puante comme une véritable gangrène. Pourtant Axel assure que non, ça n'est pas la gangrène, mais un effet du poison.

Le soir, il tente une petite intervention pour hâter la guérison. Tandis que, très stoïquement, la blessée chante une chanson à boire, Axel s'arme des pinces et du rasoir qui constituent tout l'équipement chirurgical de l'île, et découpe la cloque de peau noire qui recouvre la plaie. Apparaît alors une fosse ovale. La chair, sur ses bords, est rose, et de la plus saine apparence. Mais au fond il y a une sorte d'huître vert sombre, froide, sans odeur, et insensible, mais vivante cependant et quand Axel parvient enfin à décoller cette chose, c'est lui qui tombe brutalement évanoui.

Un petit balayeur d'auberge s'est assis sur la plage tout contre Axel. Il n'a pas plus de seize ans, il surgit chaque matin derrière un balai-brosse, les cheveux vaguement imprégnés d'une odeur de lessive, et exerce vigoureusement son emploi. Il balaie les salles et les terrasses, chaque matin s'attaque à la plage terrible, s'affairant à sortir d'un néant de sable blanc les carrelages en terre cuite des terrasses et les petits bouts de jardin à tamaris où se prélassent des chevrettes attachées à un pieu. La plage finit par reculer en ondulant. Et cette docilité, ça le fait rire, le petit balayeur.

La plage est un extraordinaire puzzle de milliards de milliards de petits cubes de marbre et de pâte de verre coloré, petits dés de lave et merde de dinosaures devenus presque du diamant, cacas d'une variété, d'une subtilité admirables. Ici pierres et métaux ont un sexe. Chaque galet, chaque grain de sable un sexe, exactement comme un corps vivant, sans compter l'increvable charogne de crabe qui dans un coin avance toute seule, et accentue encore le morcellement des choses.

S'il lui avait suffi d'un regard pour jauger Axel, c'était sûrement par habitude de regarder le sable, d'en distinguer chaque grain. À force de vivre avec le sable, il avait bien vu, le petit balayeur, que les gens, avec leur grosse figure si facile à comprendre, sont aussi différents les uns des autres que si certains d'entre eux avaient des écailles et d'autres des plumes ou encore des élytres rouges.

Et ce gars-là, il en est sûr, même s'il le regarde parfois avec des yeux brûlants, ne l'emmènera pas dans son lit. Parce que, de la fille brune, il en est raide dingue.

X

L'année précédente, à Salzbourg, Axel avait acheté tout un arsenal d'instruments de mesure, les plus luxueux qu'un scientifique prussien ait jamais possédé. Deux baromètres pour la pression atmosphérique, dont l'un se loge dans une canne creuse s'ouvrant en trépied, un hypsomètre pour évaluer les modifications de la température d'ébullition de l'eau selon l'altitude, un théodolite pour déterminer la position de la surface du globe par rapport aux astres, trois sextants dont un pliant, un inclinomètre pour mesurer le magnétisme de l'air, un hygromètre à cheveu qui enregistre l'humidité, une bouteille de Leyde destinée à stocker des charges électriques, et un cyanomètre pour mesurer le bleu du ciel (plus le bleu est pâle, plus l'air est saturé de vapeur d'eau), sans compter des boussoles, une lunette astronomique, des thermomètres. Et des produits chimiques en veux-tu en voilà pour naturaliser les animaux, pour conserver les insectes et les plantes, pour provoquer des réactions sur les minéraux, et puis des boîtes à spécimens, des cahiers, du papier réglé pour dresser les cartes. Ce ne serait pas du luxe car personne n'avait encore dressé de carte de la Nouvelle-Espagne, les missionnaires s'y connaissant encore moins en géodésie qu'en hostie. On avait seulement quelques plans du littoral. Mais, partant de Caracas, le bassin de l'Orénoque, jusqu'à l'endroit où il jouxte l'Amazone, restait un blanc de la carte, un lieu aussi abstrait que la face cachée de la lune. C'est justement pour faire œuvre inoubliable de cartographe qu'Axel s'offrit deux chronomètres hors de prix, tels qu'on les fabrique depuis peu en France. Ils fonctionnaient désormais sans balancier et marquaient les secondes. Si on en prenait un soin inouï, ils resteraient à l'heure de Paris et permettraient, en calculant la hauteur du soleil au zénith, de déterminer la longitude n'importe où dans le monde.

Sur les collines de Salzbourg, Axel travailla à maîtriser ses instruments. Trimbala un vrai laboratoire ambulant dans les sentiers boueux. Il mesura tous les reliefs du coin, calcula chaque jour la pression atmosphérique dans la ville de Mozart, cartographia son champ magnétique, vérifia le poids de l'air, les charges électriques contenues dans l'eau de pluie et le degré de bleu d'un ciel de printemps saturé de vapeurs d'orage.

Puis, dans les sommets de la Haute Bavière, à Berchtesgaden, il s'entraîna, tout à fait comme un soldat, à monter et démonter tous les instruments, jusqu'à ce qu'il y arrive parfaitement, même les yeux fermés et dans les pires conditions météo, sous des rafales de vent à décorner, ou sous une pluie battante.

Les Bavarois le crurent cinglé.

Je vais voyager dans le Nouveau Monde, expliqua-t-il, les joues rouges d'enthousiasme. Je vais explorer les volcans. Je veux être sûr qu'un feu brûle en permanence au cœur de la terre.

Il se préparait donc méthodiquement au bertillonnage de la planète, à la mesure de ses sommets, de ses fosses, de ses empreintes géologiques, de ses dimensions, de ses cicatrices, et avait bien l'intention de la ficher sous toutes ses coutures.

À l'observatoire de Gotha, il suivit les cours de l'astronome Franz von Zach, parce que c'est d'abord sur le ciel que se guident les explorateurs.

Il s'habitua aussi au froid glacial et, dans les fonderies allemandes, à l'excessivement chaud, au désagréable et au terrible, à la douleur, au dégoût, aux nourritures exécrables, saumâtres, pire que ça.

Sa belle-sœur Caroline ne pouvait plus le supporter.

Je t'aimais mieux quand tu n'allais pas bien. Tu es heureux, c'est évident, mais tellement agité que tu fais peur aux enfants.

Ils seront adultes quand je reviendrai.

Est-ce qu'on se reverra vraiment un jour?

Les cheveux de Caroline effleurèrent ses lèvres au moment où elle l'embrassa et Axel rougit horriblement. Il n'oublierait jamais cette image de sa belle-sœur, jambes repliées sous elle, donnant le sein à son fils.

À Dresde, il rendit visite au baron von Forell, qui représentait la Saxe à Madrid. Aucun appui diplomatique n'est à dédaigner, les puissants colons espagnols et portugais craignant que les étrangers, et surtout les Allemands, si prompts en ce moment à donner dans l'humanitarisme, n'aillent examiner de trop près leur œuvre civilisatrice. Bien que fils de la grande Marie-Amélie de Saxe, une Allemande, Sa Majesté Très Catholique Charles V aurait détesté qu'une expédition conduite par un Prussien ne sème le désordre dans ses possessions outre-atlantiques. Mais Axel ne le se tint pas pour dit, s'installa à Madrid pour revenir à la charge. Cette fois il eut l'idée de se parer de son titre de géologue, obtint alors sans trop de difficulté une audience du ministre des Affaires étrangères.

C'est du roi lui-même que doit venir l'autorisation.

Axel se rendit donc à Aranjuez, sa résidence d'été.

Je suis prospecteur minier, dit-il. C'est-à-dire que je suis capable de traquer une pépite sur des centaines de kilomètres jusqu'à son gisement.

Aussitôt les yeux de Charles V s'écarquillent, on va pouvoir s'entendre. L'or des conquistadores a fondu depuis longtemps, mais on sait parfaitement que le sous-sol des possessions d'Amérique regorge de merveilles. Il est temps de faire jaillir de nouveau le Pactole.

Jamais aucun étranger n'avait obtenu autant de laissez-passer officiels. Axel croulait sous un fagot de parchemins portant le sceau royal, ordonnant d'accorder au baron von Kemp et à son épouse toute l'aide nécessaire pour leur expédition : ils ont l'autorisation de naviguer sur tous les navires de la couronne ; ils doivent être bien logés, bien traités, avoir accès à tous les endroits qui les intéressent, ils peuvent se servir librement de leurs instruments, ils peuvent faire dans toutes les possessions espagnoles des observations astronomiques, mesurer la hauteur des montagnes et exécuter toutes les opérations qu'ils jugeront utiles à l'avancement des sciences.

Lottie demanda pourquoi on avait écrit "et à son épouse".

Je l'ignore, répondit Axel distraitement. Un malentendu.

Je ne suis plus la femme de personne, insista Lottie d'un air pincé.

Ce ne serait pas une bonne idée que de les faire modifier maintenant. Ces passeports sont une aubaine. On ne remet pas en cause ce genre de documents, on les prend et on s'embarque.

D'accord, dit Lottie, alors je suis l'épouse vierge d'un jeune explorateur allemand, parcourant le monde sans chaperon, sans liens, sans préjugés.

De son côté, Lottie visitant l'Espagne n'avait fait que de raisonnables dépenses. De quoi se vêtir solidement, de quoi écrire, et puis cette petite boîte hermétique cousue dans la doublure d'un gilet et dont elle ne se séparerait plus jamais, elle se l'était juré, contenant une bonne dose d'une substance de couleur suspecte, un poison violent, du cyanure.

Cela ne signifiait à l'époque nullement que Lottie avait l'intention de se tuer. Ça n'était pas un jeu non plus. Au contraire, elle craignait la mort et d'autant plus qu'avec Marcus Feld, elle se disait souvent qu'elle était déjà un peu morte. Mais non, cette petite boîte augmentait sa joie de vivre. La possibilité de mettre fin à ses souffrances, si elle en ressentait le besoin, libérait toute l'énergie qui était en elle. Lottie se sentait vraiment tranquille quand elle sentait la petite boîte tout contre elle, à la fois porte-bonheur et talisman. Mais quand elle regarda Axel s'en aller vers le volcan, elle se dit que s'il ne devait pas revenir, elle diluerait la poudre dans un verre de bon vin et elle l'avalerait cul-sec.

Et quand il est rentré sain et sauf, elle a jeté la boîte pour ne plus jamais revivre ça.

Axel, débrouille-toi, je ne t'attendrai plus jamais…

Première grande ascension du sommet des Canaries. Pablo a troqué sa nudité de maître-nageur contre une tenue complète de guide de montagne, avec un ceinturon extraordinaire. Il est monté déjà plus de trente fois, avec des Anglais, avec des Espagnols, avec des Français. Il est venu chercher Axel avec un âne. Il a jeté le sac à dos d'Axel dans un des couffins. Axel porte un pantalon plus ample et plus fripé que de coutume, et puis un chandail et des chaussettes de laine, mais il n'a pas de bottes de montagne.

Pablo lui donne des espadrilles, vieilles mais solides : Ça vaudra mieux que du cuir. Avec ça tu te sentiras plus léger et tu pourras sauter sans difficulté d'un rocher à l'autre. Et la fille, elle ne vient pas ?

Empoisonnée par un coquillage. Elle ira mieux ce soir.

Dans l'autre couffin, Pablo a entassé un petit sac de cacahuètes et une énorme provision de raisins secs, de pruneaux, d'abricots.

C'est tout ? Pas de fromage ? s'étonne Axel.

Largement suffisant pour deux. Il ne faut pas se charger avec de la nourriture, dit le guide soudain sérieux et grave.

Et pas de vin ? grimace Axel.

Non, ça nous ferait du mal. Une fois qu'on est fatigué, à grande altitude, on n'a pas intérêt à boire autre chose que de l'eau, fait Pablo avec sa gravité enfantine.

Avec quoi on va se réchauffer alors ?

On fera du feu et tu garderas tes vêtements.

Tu crois vraiment qu'il va geler ?

À partir de deux mille, tu comprendras pourquoi on l'appelle Pico del Teide !

Pourquoi ?

Teide, ça veut dire enfer dans la langue des Berbères, fait Pablo d'une voix un peu enrouée.

Axel qui se sent en forme ce matin-là se met à rire. Avec sa canne de montagne, son marteau de minéralogiste et un volume de la *Flore* de Lamarck, il a plutôt l'air d'un peintre romantique que d'un alpiniste. Le guide porte des bottes à crampons et un petit chapeau à plume. Il parle en marchant, sans se retourner, et Axel le regarde de dos, les pieds un peu en dedans dans ses bottes.

Tu ressembles à un lutin du Tyrol, fait-il.

Pourquoi tu veux te faire le Teide ? demande Pablo.

Parce qu'il existe.

Un coq chante. L'humeur des marcheurs s'améliore encore, ils parlent plus fort, avec de moins en moins de retenue, ils braillent et se marrent. Sur le pas de sa porte, une femme les regarde partir, les deux poings aux hanches, stupéfaite de la blondeur d'Axel, tandis que ses chiens aboient sur leurs talons. Le ciel est d'un bleu outremer, quasiment la dernière graduation du cyanomètre. Et sur cet outremer inouï on voit se détacher nettement les parois du Teide.

Un peu plus loin, Pablo commente : Il a plu cette nuit, le ruisseau est trop profond ici, il faudra traverser ailleurs, mieux vaut faire un détour.

Tiens, regarde ! dit Axel joyeusement. Admire le tapis d'armoise. Là c'est de la centaurée. Et là-haut de l'euphorbe.

Toi, tu connais bien les fleurs, dit Pablo.

Je les ai étudiées toute ma vie.

C'est à ce moment qu'un jeune cerf surgit sur le chemin, ébloui par le petit matin et comme pétrifié par la masse sombre que forment l'âne et les deux hommes, avant de bondir dans les buissons et disparaître dans le silence.

Est-ce qu'on voit encore l'auberge où est Lottie ?

Pablo regarde longuement, dit que non. Axel se sent soudain devenir tout triste.

Faut que je m'arrête, dit-il. Quand je suis trop triste, il faut que je me couche un peu. Donne-moi un coup d'eau, ça va passer.

Toi, triste ? Ça ne paraît pas croyable.

Lottie et moi, on ne s'est jamais quittés. Je crois bien que c'est la première fois en une année que je suis aussi loin d'elle.

T'inquiète pas, fait Pablo, tu vas avoir d'autres chats à fouetter.

Le pic de Teide brille sous son capuchon de neige. Pas moins de trois mille sept cents mètres d'altitude, ce qui en fait le plus haut sommet des îles Canaries, des îles de l'océan Atlantique et en fait de toute l'Espagne.

Il y a d'abord un parfum de feuilles brûlées et de feu de bois dans l'air. Axel aime déjà infiniment cette piste, son goût d'éternité, et on continue la montée. À force de transpirer on élimine la fatigue, on élimine le froid, les soucis et les mots. Mettre un pied devant l'autre fait pénétrer dans une sorte d'oubli merveilleux. Silence. Seulement le bruit des pas.

Il écrira à sa belle-sœur qu'ici tout est sain, plaisant, vous nourrit et vous touche : Nous avons visité Tenerife et Santa Cruz en nous abritant du soleil sous des feuilles de palmier. Des lauriers, des vignes, des roses. Dans les rues, des dromadaires. À Puerto Orotava, visite de pure dévotion : j'ai vu enfin le dragonnier des Canaries dans son environnement naturel et ça m'a rendu fou de joie. Il a quinze mètres de circonférence et des milliers d'années. Personne ne sait d'où vient ce *Dracaena draco*. Sans doute d'Asie. Mais comment, quand ? En y réfléchissant j'ai vu soudain le visage du monde qu'on ne voit jamais, j'ai vu son visage en entier, je veux dire qu'au lieu de percevoir les choses de la nature comme isolées, solitaires, j'ai compris les accords qui les régissent entre elles, et elles me parviennent désormais dans un déferlement éperdu, impossible à te décrire. Je ne pense déjà plus de la même façon.

À six heures, le flanc du volcan est nimbé de vieil or, des grillons sautent sur les pierres, le vent rafraîchit les rochers. Une colonie d'anémones des bois. Des violettes. Un tapis de tourbe. Ils poursuivent leur route. Une forêt de châtaigniers, puis un espace sablonneux couvert de genêts. Le paysage en contrebas, la mer, le port, les jardins d'orangers, tout s'est transformé en simple maquette, d'échelle minuscule, mais la bordure blanche des vagues reste très visible. Et voici que résonne le crissement strident d'une cigale, éclatant, étrange. Le Prussien est cloué sur place par ce bruit surnaturel qui irradie de partout à la fois, tandis que Pablo sourit en passant devant lui.

Axel détermine l'altitude grâce à la méthode de Pascal, en mesurant la pression atmosphérique. L'air est d'une transparence extraordinaire, l'œil met au point avec une netteté dingue, la voix porte, le moindre bruit est multiplié par deux cents, Axel entend des cris d'enfants qui viennent de la plage, et de légers éboulis sous le sabot de chèvre invisibles, qui résonnent dans toute la passe.

Ils ne vont pas du même pas. Les mouvements de Pablo sont doux, toujours décontractés, c'est un bon grimpeur. Par contre Axel fait tout en force, comme s'il voulait donner des coups de pied à la montagne. Points de frottement dans les chaussures, à la ceinture, aux épaules que scient les courroies du sac à dos. Ils sont en nage. À la fin du premier jour, Axel a perdu du poids. Littéralement fondu.

Ils vont dans l'air vif sans rien d'autre qu'une capote militaire et leur sac plein de pain et de fruits secs. La première nuit, ils ont dormi emballés dans leur capote, sur un lit d'aiguilles de pins. On a fait du thé chaud, le thé le plus pur et le plus désaltérant que le Prussien ait jamais goûté de sa vie.

Des rochers verglacés reflètent la lueur calme des étoiles. Lune énorme et grand silence, à peine coupé par des frôlements de bêtes dans les rares buissons.

Le lendemain matin, l'âne les a plantés là, un genou plein de pus à cause d'une piqûre de taon, alors Axel préleva dans ses couffins les instruments de mesure les plus précieux.

Plus de quinze kilos sur le dos. Les yeux à demi fermés de douleur et de fatigue. Ses semelles à clous griffent laborieusement le sol et il a l'impression de ne pas avancer.

Nom de Dieu, t'es costaud, répète Pablo.

Il se prive pour offrir à Axel sa ration de fruits secs.

Là, des rhododendrons, ça veut dire qu'on est au moins à mille huit cents mètres.

Puis les rhododendrons disparaissent et l'air se rafraîchit encore.

On doit perdre environ un degré tous les cent mètres, dit Axel qui a piqué un thermomètre à mercure dans le revers de son bonnet.

Il gèle déjà. Le soleil couchant ressemble à un gros glaçon ironique. Pablo court ramasser quelques brindilles et on frissonne devant une maigre ébauche de feu.

Ils passent la nuit à l'entrée d'une grotte. Des chauves-souris les frôlent. La lune est petite et d'un jaune glacial. Au matin on se débarbouille à la neige fondue, délicieusement froide et qui pique le visage. On en mâche un bon coup parce que le feu s'est éteint. Un jet de glace liquide dans l'estomac. Ça fait du bien. Il faudra sauter sur place et battre des mains pour échauffer les muscles avant de se remettre en route.

Le troisième jour à midi les premiers rayons rouges du soleil percent le brouillard. Le grondement secret de la terre monte sous la couche de glace légère. Le regard de Pablo vers le sommet du pic de Teide est plus qu'un coup d'œil : il calcule.

Manque quelque chose comme trois cents mètres pour être tout au bord du cratère, estime Axel à son tour.

Ça fume déjà et ça sent le soufre. L'air est piquant, pas sain du tout mais il n'y a rien de meilleur pour réconforter l'âme d'un géologue, à plus de trois mille mètres d'altitude, que la puanteur d'une caldera.

Axel tripote son baromètre de Fortin. Le mercure vibre contre la membrane de cuir. Rien que des mesures de pression atmosphérique sur trois pages de son carnet :

Je me sens très bûcheur ces temps-ci !

Et moi flatté de courir la montagne en compagnie d'un poète, dit Pablo en riant.

Quelques pas encore avant le sommet. Axel avance lourdement. Avec le pouce de la main gauche il tire sur la bretelle de son sac, à hauteur de poitrine. Dans l'autre main il serre la tige d'une fleur des neiges qu'il n'a pas encore eu le temps de dessiner. De l'herbe givrée pousse dans les interstices des pierres et des rochers. La fatigue change la face des choses. Des éboulis dessinent des balafres sur le flanc du Teide.

Regarde, dit soudain Alex dont les yeux brillent de joie, je vois le sommet, voilà le triomphe !

Il est en compagnie de ses héros favoris, Horace Bénédict de Saussure bombant le torse face à la mer de Glace, le Chamoniard Michel Paccard, vainqueur du mont Blanc par l'aiguille du Goûter, alors il cambre les reins dans un dernier effort, tanguant un peu sous le poids des instruments, mais musardant quand même, en hâbleur qu'il est :

Putain, je suis encore en pleine forme. Tu ne t'imagines pas comme je me sens bien. Je pourrais recommencer dans deux heures. Il me faudrait juste du pain et du fromage. Et puis du miel bien crémeux. Je suis content de t'avoir rencontré, tu sais. En fait je remercie le sort.

Rêve pas, souffle Pablo, économise-toi, on n'y est pas tout à fait.

À ce stade il n'est pas conseillé de devancer des yeux la fin d'une marche extrêmement pénible, il vaut mieux strictement regarder ses pieds. Banals conseils de route, mais indispensables. En effet, à proximité du cratère la pente devient infernale. Le cœur tambourine, le pouls claque dans les tympans. Il faut se faire violence. Les orteils écarquillés se dilatent dans les godasses pour ne pas glisser. Chaque pas se met à poser un problème particulièrement insoluble. Y mettre les mains. Pure escalade. Face à la montagne mains et pieds s'étirent pour que vingt doigts palpeurs donnent à l'emprise sur la pierre de lave la force d'une étoile de mer, d'une pieuvre ou d'un chimpanzé.

Des champs d'éboulis. Dans les derniers mètres on risque de couler avec les pierres qui roulent. L'une d'elles vole, brise une bouteille d'eau.

Accroche-toi, dit Pablo.

Puis ce moment magique : les os et les muscles ont donné ce qu'ils doivent et l'obstacle a crevé. Maintenant la pesanteur se traite de haut. La montagne est surmontée. C'est tout à fait un autre monde. Pour la première fois de sa vie, Axel chevauche un volcan, entend sous ses pieds la terre vibrer et résonner, un mugissement de torrent, sachant bien que ce qu'il entend est le cœur même de la terre.

Écoute ça, Pablo, à quoi ça te fait penser ?

Tout le détour de l'escalade, les mains en sang, les courbatures, les ampoules, les orteils bleus sur le sol glacé sont oubliés. Rien n'existe à ce moment que ce moment lui-même, où la vue porte jusqu'à Palma, Gomera, et aux montagnes de Lanzarote enveloppées de brumes.

Tu es mon frère d'altitude, tout le reste dans ma vie c'était du plat, rugit Axel.

Bon, dit Pablo, il faudra te décerner un diplôme de chèvre sauvage.

Dans la cendre jusqu'aux genoux, Axel desserre les sangles de son sac à dos et le serre dans ses bras. Et puis il se met nu, personne pour se scandaliser, et il rend grâce à tout ce qui vit et se trouve là, à flanc de montagne ou au ciel, en mer, n'importe.

XI

La Méditerranée est une chose, l'océan en est une autre. Quand le *Pizarro* a quitté les Canaries pour l'empire espagnol des Indes, Lottie a sombré dans une solitude extrême. Jusque-là elle avait mesuré sa vie avec des cuillers à moka, et maintenant elle vogue sur l'Atlantique. Jusque-là elle avait vécu comme dans une bibliothèque au plancher qui craque, où il faut marcher tout doucement et chuchoter, et maintenant on gueule sans fin autour d'elle, le pont d'un navire en partance est un plancher vertigineux.

Après avoir rédigé deux pages de son journal sur le sentiment du départ, Lottie est restée des heures à regarder l'horizon de l'eau, puis elle a couvert son visage d'un linge blanc, moins pour se protéger les yeux de l'insoutenable soleil que pour ne penser à rien, ne rien désirer, ne rien ressentir, être vide, creuse et vide, jusqu'à ce qu'il commence à faire nuit, le premier soir, et que disparaissent ces petites lumières qu'on voyait encore un peu, même à travers le tissu, ici et là sur la côte.

La première nuit, des vers gélatineux brillent dans l'eau comme des étoiles et on ne sait plus où est le ciel, dans quel sens on doit regarder le monde.

Puis petite tempête pour faire doucement connaissance avec l'incroyable violence de la météo atlantique. La haute mer est une surface inhospitalière. Le bateau tremble fort. Axel n'est pas parfaitement à son aise non plus : Très bien, Atlantique, tu sais secouer et te montrer impérial, murmure-t-il en allant vomir, penché au-dessus de la rambarde.

Il est encore temps de renoncer, et de cingler vers l'Afrique, il pourrait tenter de rejoindre les savants de Bonaparte en Égypte, et puis aller herboriser dans l'Atlas. Mais qui sait si le dey d'Alger le laisserait entrer, et puis les geôles barbaresques ont une drôle de réputation…

Défilent devant ses yeux les visages énergiques de Plan Carpin, Sir John Mandeville, et Colomb lui-même, toujours lui, muni du livre de Pierre d'Ailly, et puis Magellan, Balboa, Cortez.

Axel retourne vomir par-dessus la balustrade, serein.

Avec un apparent détachement, Lottie a demandé au capitaine à quelle distance extrême de la côte les mouettes peuvent voler.

Trois cents kilomètres à peu près. On a vu les dernières ce matin.

Passé le reste de la journée à sangloter, avec de grands soupirs d'étouffée. Un chagrin tiède et salé lui obstrue le fond de la gorge. Fort vent, pénibles oscillations du vaisseau, la côte disparue à toute allure, Lottie se sent absolument incapable de s'imaginer un avenir de l'autre côté de l'Océan, est donc bourrée de pitoyables regrets.

C'est au mois d'août. Au second soir sur l'eau, prisonnière de son histoire, de ses limites, elle a envie de repartir aussitôt, dans un canot de sauvetage, même à la nage si nécessaire. Mais très vite elle réagit. Mme Feld est plutôt bien placée pour savoir qu'il y a peu d'événements dans une vie, et qu'être sur le *Pizarro* avec Axel von Kemp en est justement un, et de magistral s'il vous plaît. Depuis son plus jeune âge elle a un principe : pour s'en sortir se frotter au pire, et ce principe elle le met en application aussitôt.

Où ils sont, les esclaves ? demande-t-elle, en se disant qu'elle pourra les comprendre et les aimer, parce qu'après tout ce sont les vivants les plus proches de sa condition. À elle aussi on a inculqué dignement, depuis le maillot, la peur, le complexe d'infériorité, le tremblement, l'agenouillement, le désespoir.

Un matelot anglais, une vraie loque, puis un Norvégien, une brute, lui montrent la cale, tout en faisant non avec l'index, interdiction de s'approcher. Évidemment Lottie passe outre, elle brandit les documents marqués du sceau royal d'Espagne, elle descend dans la cale.

Elle entre dans un brouillard de putréfaction. Une odeur épouvantable dans le jour tellement brûlant. Elle se bouche les narines avec sa manche. Une grappe de femmes noires dort au pied de l'échelle. Lottie effleure l'une des dormeuses de la pointe du pied et s'excuse d'un grognement.

Rien d'autre n'a pu sortir de sa bouche que ce grognement.

Les femmes s'éveillent l'une après l'autre et tournent vers Lottie un mur opaque de visages muets. Un nuage hargneux de mouches s'élève. Deux rats grimpent jusqu'au bord du tonneau qui contient l'eau douce pour les passagères. Ils boivent un coup puis s'échappent. Lottie reste prudemment perchée sur le dernier barreau de l'échelle. Les mouches retournent se poser sur leur garde-manger, une morte, avec d'atroces ganglions au cou. Des vers s'affairent déjà dans son oreille. La langue de Lottie se réfugie contre son palais et elle se fend d'un sourire désolé.

C'est toute la sociabilité dont la volubile Mme Feld, reine des salons des Lumières, sera capable ce jour-là. Elle s'en voudra d'ailleurs toute sa vie.

Elle tourne le dos aux femmes et sort à l'air libre au moment où Axel remonte péniblement l'échelle de coupée, avec un oiseau dans les bras qu'il s'apprête à dessiner.

J'ai vu les esclaves, lui dit Lottie. J'étais descendue pour les prendre dans mes bras. Je voulais toucher la surface de leur douleur. Je voulais la regarder au fond de leurs yeux. Je voulais leur dire que je suis là, que je les accompagnerai, où qu'ils aillent. Au lieu de ça, rien. Je me suis sauvée. La rivière de ma compassion est sagement rentrée dans son lit.

Je vois, dit Axel.

Le lendemain soir, ils sont descendus ensemble dans la cale aux esclaves. Ils se sont assis par terre, tout en bas de l'escalier, et ils ont commencé à rire. Sachant qu'on ne les comprendrait pas, pas plus en espagnol qu'en français ou en anglais, ils rigolent. Et comme ils ne peuvent pas non plus toucher de leurs mains tous ces hommes et ces femmes, ils rient. Ils les touchent délicatement avec leurs rires, et les autres font de même. Même dans la cale immonde d'un vaisseau négrier, le rire est une surface de contact émotif immense, qu'on peut partager tranquillement avec des personnes dont on ne parle pas la langue. Au reste, comme les esclaves n'ont rien non plus à offrir, rien à eux, ils rient facilement, un rien, un couinement, et le rire fuse, on s'en donne à cœur joie, servez-vous, c'est de bon cœur, c'est ma tournée.

Ce qui est inouï, c'est que tout cela a été mis en branle par une poignée d'hommes. Il a suffi d'un roi ou deux, et de quelques capitaines d'industrie en cheville avec des ambassadeurs, pour que les Noirs travaillent sur les plantations blanches à Madère et aux Canaries, bien avant d'être envoyés dans les mines ou de cultiver le sucre des Amériques. En dépit des légendes sur la chaleur extrême, censée réduire les hommes en cendres, les Portugais, pratiques et laconiques, poussèrent au-delà de l'équateur pour fonder une chaîne d'établissements dans l'océan Indien, du Mozambique à Mombasa. À ce qu'on dit, leur imagination ne fut guère excitée par le contact avec les peuples indigènes. Ils négociaient avec zèle ces produits d'importation dont ils se foutaient bien des coutumes, des langues, des idoles. Quant aux missionnaires, payés des clopinettes pour bourrer les crânes avec leur drôle de dieu à trois têtes qu'on peut manger et boire, ils étaient dit-on encore moins imaginatifs que les négriers.

L'énergie intellectuelle déployée pour observer les Amérindiens et leur or exubérant fut d'une autre dimension. Si l'Afrique faisait partie des meubles et n'étonnait plus personne, on salua la découverte du nouveau continent comme le plus grand événement depuis la création du monde, après la crucifixion de Notre Seigneur, comme il se doit. Cela n'empêcha évidemment pas une nouvelle génération de missionnaires et de soldats de se jeter sur le pauvre Nouveau Monde pour lui coller sa variole et tous les diaboliques désirs de sa convoitise et de sa cruauté, mais tout de même, les dizaines de mètres de rayonnages qui presque aussitôt garnirent les bibliothèques de Madrid montraient bien que les Aztèques, les Incas ou les jambons humains salés qui séchaient dans les huttes des Tupinambas avaient su déchaîner les passions.

Il y a des Indiens dans l'équipage. À cause des punaises, ils passent la nuit sur le pont, où Axel les rejoint après un somme de deux ou trois heures. Il paie un coup à boire au bosco et au charpentier. Un garçon silencieux s'assied toujours à côté de lui. Il se nomme Romulo. L'arête de son nez est translucide et fine comme l'opaline. Il ne descend jamais dans la cabine qu'il doit partager avec cinq autres, dort ici, la tête sur un cordage. Les Indiens ont l'ivresse morose. Le bosco porte une ancre tatouée dans la paume de chaque main et suce une longue pipe de porcelaine. Le charpentier croque un cigare qu'il débite en petites rondelles à l'aide d'un grand coutelas qui fonctionne par saccade comme la guillotine. Toujours plongé dans une profonde méditation, Romulo chique. Les Indiens, on ne les a jamais vus lire un journal ou jouer aux cartes, ils semblent n'avoir envie de rien, et même pas de rigoler un brin.

Nuit après nuit, Romulo somnolant contre lui, Axel, l'œil rivé à sa lunette, mesure les étoiles autant qu'il les contemple. Les plus familières vont disparaître. D'autres, les nouvelles, montreront bientôt le bout de leur nez. D'ailleurs le ciel a bougé d'un cran. Et puis d'un seul coup les instruments de cuivre achetés à Salzbourg n'ont plus un instant de répit.

Romulo regarde Axel remplir des carnets de sa fine écriture soignée qui ressemble à des traces de chenille dans la poussière. La nuit se passe à calculer et à vider des bouteilles de vin sans souffler mot. Mais Axel se sent bien quand même, infiniment bien sous le regard de Romulo, tellement heureux d'être de nouveau subjugué par un garçon très brun, aux yeux sombres et belles dents de loup. Il lui a offert son couteau à cran d'arrêt au manche d'ébène. Pourtant on n'ira pas plus loin que ces nuits épaule contre épaule. Axel n'est pas insensible, évidemment, au jeune homme qui se laisse aller contre lui, il sent l'excitation de son corps, on peut même dire qu'il l'observe paisiblement, mais il ne l'entretient pas ; il la respecte, mais il se sent tout à fait détaché d'elle. Et même, cette excitation est à présent si peu lui-même qu'il se dira à plusieurs reprises, tout étonné, à partir de maintenant les hommes ne me concernent plus. Il a fait sienne la leçon de Willdenow et ces bêtises sont finies pour lui. Sans intérêt. Juste des mots que les mousses échangent entre eux, en se marrant, parce qu'ils ne pensent qu'à ça, les gamins, à montrer leur sexe en épelant fièrement *el pincho, el pirulo, las canicas, las cojones,* et ce soir, mimant les formes de Lottie et faisant mine de la pénétrer, ils chantent les mots du sexe de la femme, *el almeja, el fandango*, sur un air andalou qu'il ne doit pas lui jouer bien souvent, le Prussien, les gosses s'en sont tout de suite rendu compte.

Ces choses-là ils les sentent.

Une semaine qu'Axel est enfermé dans sa cabine avec ses microscopes.

Depuis combien de temps tu ne t'es pas rasé ?

Je vais me raser, tiens, si ça peut te faire plaisir.

Il s'est rasé, a nettoyé soigneusement son rasoir comme s'il le voyait pour la première fois et a repris ses observations.

Aux grands génies, les grands objets, dit Lottie. Les animalcules aux petits génies, ça suffit à les occuper !

Regarde plutôt ça, au lieu de jouer les ironistes.

Lottie colle son œil au viseur.

C'est quoi ?

Des milliers d'animalcules s'agitent. Leur corps est tout rond, ils ont une queue fine et transparente, et ils avancent à la manière des anguilles, par battements successifs. Tout cela frétille sans arrêt.

On dirait des têtards, risque Lottie.

Je pense qu'il y en a un bon million pour un échantillon à peine plus gros qu'un quart de goutte d'eau, assure Axel.

Un échantillon de quoi ?

De l'urgence de vivre.

Je vois, dit Lottie. Et comment avez-vous obtenu la matière de l'examen ?

Tout seul. Le plus innocemment du monde, ma chère.

Si vous avez besoin de semence féminine, dit encore Lottie, je suis à votre entière disposition.

Sur les bateaux, après quelques semaines de navigation, on n'a plus ni fruits ni légumes, alors à force la peau des matelots commence à se tacheter de petits points rouges, leurs gencives saignent, leur langue noircit, sur leurs joues la peau se soulève en écailles de poisson. C'est le scorbut. Et quand la crise les prend, leurs os leur font trop mal pour qu'ils puissent encore haler les voiles, huiler les poulies, donc ils ne font rien d'autre que se pencher au bastingage et cracher rêveusement dans l'eau durant des jours.

Un jour, Romulo mange son pain et il s'aperçoit que c'est son pain qui lui ronge la langue. Le sang cogne dans ses gencives enflées. Après quoi il chie une crotte molle et ensanglantée. Il sait ce que ça veut dire, il le signale au capitaine, on l'enferme dans la minuscule infirmerie. Là il se met à trembler, d'un tremblement universel qui gagne même la petite gravure de brick royal décorant la cloison. Ensuite fièvre, sueurs visqueuses et froides, un délire qui fait de Romulo la proie d'étranges appétits de chair. Une méduse lui fait signe. Il grogne dans son sommeil. Il gît pendant des jours dans un cauchemar sexuel où une truie à petites rangées de dents caoutchouteuses le suce goulûment.

Un matin, l'aumônier vient. C'est un petit trapu aux formes herculéennes et il a bien du mal à se glisser dans la cabine d'infirmerie pas plus grande qu'une niche à chien. Le lit se balance sous la houle. Le corps du matelot suit le mouvement, comme un sac, quasi invertébré, ses membres vidés refroidissant déjà les draps. Seuls ses yeux sont vifs, mobiles, parlants, et en effet ils expriment bien des choses, mais plus pour très longtemps.

Désirez-vous vous confesser ? demande l'aumônier d'une voix sombre et préoccupée.

Donne un peu de vin et qu'il me parle, lui, dit Romulo, revenu à lui, en tournant les yeux vers Axel.

On apporte le vin, Axel offre un sourire dans lequel il a bourré de la joie, de la joie, tout ce qu'il a pu de joie rayonnante :

Tu te sens mieux ?

Oui. Beaucoup mieux.

Romulo vit encore cinq heures, la main dans celle d'Axel, puis il s'éteint avec une merveilleuse facilité.

Pour un Indien mort, on a le droit de déranger le capitaine, une grande gueule à dos rond, qui ne se met quand même pas sur son trente-et-un. Le capitaine adresse à peine la parole à Axel, cette espèce d'excentrique a encombré ses cales de dizaines de caisses qu'il compte bien remplir à ras bord d'échantillons de roches et de plantes, sans compter les centaines de bocaux de verre à manier avec prudence. Pourtant le pot-de-vin qui a été versé au capitaine était proportionnel à l'originalité du fret et presque aussi encombrant.

Le commandant, lui, reste obstinément enfermé dans sa cabine et on ne le verra guère durant les quarante-neuf jours de traversée, sinon pour les deux autres morts qu'on enverra par le fond avec le pauvre viatique d'une sonnerie de clairon. Il semble encore en vouloir à Axel pour un bobo au mollet. Au deuxième jour de la traversée, on avait mis une chaloupe à la mer pour que le Prussien puisse pêcher le requin. Axel prit un petit squale qu'il déposa innocemment au fond de la barque, comme si ç'avait été une carpe de la Spree. Le squale furieux attrape le mollet du commandant. Arrache le morceau. Le sang gicle. Enfin le mousse a la présence d'esprit d'assommer le squale à coups de rame devant Axel éberlué.

Romulo est glissé dans un sac et envoyé par le fond. Voilà, c'est fait, son âme a été confiée à la clémence du sel de mer. Après la cérémonie funéraire, chacun retourne à son boulot, pesamment, et Axel replonge avec allégresse dans sa barcasse d'exploration, attachée comme un chien au *Pizarro*.

Dix-huit jours qu'ils sont à bord de cette frégate, dont le corps énorme et aérodynamique se berce à plaisir dans l'alizé. On croise de petites îles serties de guano. La chaleur est atroce. On attrape des coups de soleil par simple réverbération. Axel a pris ses habitudes à bord, des habitudes de naturaliste dont le regard heureux ne tombe jamais sur aucune surface morte, puisque tout est mouvant, nouveau, et le questionne.

Ce gros terrien s'ébat dans un canot bondissant, attaché au navire par deux solides cordes, gueulant d'admiration devant un effet de lumière sur le plancton ou reproduisant à l'aquarelle l'architecture croulante des nuages dont la formation et la coloration intense sont dans cette région de la planète aussi immatérielles qu'imprévisibles. Se laissant porter derrière le navire mollement incliné par la longue houle de l'Atlantique, il plonge dans l'eau divers thermomètres destinés à mesurer la température de l'océan selon la profondeur, il fume en regardant le ciel, s'ébrouant dans les embruns, heureux de vivre comme un animal physicien, et ne demandant qu'à voir durer ce voyage le plus longtemps possible.

Il n'est plus du tout pressé d'arriver. Personne ne l'attend en Amérique du Sud que les bons amis qu'il s'y fera. Il resterait bien en panne à mi-chemin, tellement la vie lui semble belle à bord et qu'il trouve bon de prendre enfin contact avec l'océan, le vertige vivant de ses espèces aquatiques, les poissons volants en grandes populations turbulentes, l'eau tellement salée, grouillant de micro-organismes qu'il va falloir observer au microscope, avec ce ciel-là, ses nébuleuses en spirales, la toute proche chaleur des tropiques, les constellations de l'autre hémisphère qu'on commence à deviner, dont l'attente le rend fou, les goélands, la véritable nature des choses, et les matelots de dix-sept ans qui sont les hommes les plus compréhensifs, mais aussi les plus fragiles au monde.

Du matin au soir le corps mordu par le soleil. Le coin des yeux piquant de sel, remettant dix, cent fois de suite, une ligne à l'eau, appâtée avec n'importe quoi de sanglant, ne pensant à rien d'autre qu'à Romulo, au corps tiède du bel Indien mort qu'il avait caressé subrepticement avant qu'on ne le jette à l'eau, emballé dans cette toile blanche, et à prendre un poisson inconnu, à le dessiner puis à envoyer son squelette au Muséum d'Histoire naturelle.

La nuit où il a vu enfin la Croix du Sud, c'est-à-dire l'autre moitié du ciel vue de l'autre moitié de la terre, Axel a posé son scalpel et repoussé le poisson dont il disséquait la vessie natatoire pour réduire la mèche de sa lampe à huile. Ensuite, lui et Lottie ont partagé du rhum brûlant et ils ont gardé la tête au ciel, dans la fourmilière du ciel, où les étoiles grouillent et pétillent.

XII

Au troisième voyage de Colomb, les découvreurs s'approchent enfin des côtes vénézuéliennes. La première tentative de débarquement ne donne pas grand-chose. À Chichiriviche, l'hostilité manifeste des Indiens les dissuade de mouiller ; aux abords de Curaçao, les navigateurs, en proie aux mirages conjugués du Nouveau Monde et d'un surprenant relief de dunes, croient voir des géants et d'eux-mêmes ils rebroussent chemin.

Quelques mois plus tard, on se risqua sur la plage, mais l'impression dominante restait l'échec : nul métal précieux, nulle épice gage de richesse n'avaient été signalés aux regards avides des voyageurs ; on ignorait encore que le cacao serait un or noir et que sur l'île de Margarita on pourrait se gorger de perles. Depuis la côte caraïbe jusqu'aux contreforts des Andes, pas de grande ville, encore moins de capitale pouvant rivaliser avec la splendeur de Tenochtitlan, mais des tribus de sauvages, chasseurs et nomades.

Bref, on n'avait rien vu de beau. D'où l'obsession de l'esclavagiste Colomb : Si on ne peut pas exploiter le sous-sol, exploitons la population, propos qui avait fait pousser les hauts cris à Isabelle la Catholique, hostile aux chaînes.

Toujours est-il qu'en 1500 le Venezuela existe sur une carte. La seule ville espagnole de l'Orient vénézuélien sera Cumaná. En 1591 elle recevra de Philippe II le titre de ville, et les armes qui en feront la capitale de la Nouvelle-Andalousie.

L'esclavagiste Colomb était si pieux qu'il n'enchaînait jamais le dimanche. Ce mécréant d'Axel débarque à Cumaná pendant la grand-messe, et les cloches sonnent à toutes volées. Pour son premier pas sur le Nouveau Monde, il a revêtu son uniforme d'inspecteur des mines de Prusse : jaquette bleu foncé à revers blanc, gilet blanc, bottes blanches dans lesquelles il crève de chaud mais qui produisent une forte impression. Une délégation de la Capitainerie générale, menée par Vicente Emparan, gouverneur de la province, avachi dans une calèche aux armes de l'Espagne, attend sur une butte avec les clés de la ville ce légendaire prospecteur annoncé par Charles V. Une sonnerie de clairon fend l'air, un drapeau se gonfle dans le vent. Les Prussiens sont emmenés au son des fanfares dans un carrosse tiré par huit chevaux noirs et huit juments blanches. Un détachement de fantassins surveille la voiture. Derrière, dans la calèche, avancent le gouverneur et l'évêque. Plus une foule de prêtres. Comme cette époque était digne !

Et puis soudain, comme Axel demande pourquoi tant de soldats pour l'escorter, un cavalier emplumé et tatoué à la manière des Indiens de la forêt, debout sur un alezan tout brillant de sueur, s'avance. Taille svelte, gigantesque, l'indigène acrobate n'est couvert que d'une espèce de cache-sexe découpé dans un tissu qui émet des reflets opaques. Deux jets d'haleine brûlante s'échappent des naseaux du cheval.

Qui est-ce ? demande Axel d'une voix blanche.

La comète de la jalousie entraîne déjà Lottie dans une angoisse vertigineuse. Un colonel se dresse, rouge de colère, et appelle ses gardes en hurlant.

L'homme à l'alezan cabré s'est arrêté net.

Tirez, dit le colonel.

Les décharges des fusils retentissent. Les dents de l'indigène brillent. Ses tatouages luisent dans la fumée.

Qui est-ce ? demande encore Axel.

C'est un cacique, un prophète, un sorcier, un de ces Indiens indomptés depuis trois siècles. Axel contemple extasié l'archange. Apparition réelle et véritable. Mais cette légende vivante est en train de faire demi-tour. Les balles auront eu le dernier mot. Il claque des doigts, l'alezan s'élève au-dessus des badauds atterrés, pique des deux, disparaît, il a franchi le fleuve et s'est perdu dans le ciel, vers les cordillères.

On ne le poursuit pas. Ça fait déjà trois cents ans qu'on le poursuit sans succès.

Cumaná n'a ni université, ni bibliothèque, ni jardin botanique, mais elle a un marché aux esclaves tout à fait réputé. Mais elle a des banques à chaque coin de rue, tenues par des gens qui trouvent que la manipulation de l'argent est une source de joie inépuisable. Même le plus vieux banquier du coin, avec une hémiplégie qui lui laisse pendre la lèvre, n'en finit pas de spéculer et refuse d'aller se reposer sur son tas d'or. Il n'a nulle intention de prendre sa retraite, mais bien de tondre les Indiens aussi longtemps que possible. Depuis l'âge de quinze ans il a sur son mur une gravure où un globe terrestre est pris entre les jambes d'un compas bien acéré, avec l'inscription *Au compas et à l'épée, toujours davantage, davantage, davantage.*

Brombacher, le vieil ambassadeur d'Allemagne en Nouvelle-Espagne, s'empêtre dans une chaîne de montre en or qui doit peser ses deux kilos et tombe dans les plis de son pantalon. Il pose ses mains sur les épaules d'Axel von Kemp et le regarde en plissant les yeux : J'ai combattu aux côtés de votre père, dit-il dans un allemand rouillé et hésitant. Il cherche ses mots sans arrêt : Vous verrez quand vous aurez passé un peu de temps ici, s'excuse-t-il.

Trois chaloupes débarquent les caisses contenant l'équipement de l'explorateur. Des bruits courent déjà sur Axel. Comme il pose tout un tas de questions sur la Capitainerie générale, ses voies de communication, ses mines, son administration, son climat, la taille de son armée, si elle est bien entraînée, on se dit qu'il espionne pour le compte des États-Unis. Ou bien des Français.

Les voilà aux mains du soleil, dans les jacassements de perruches criardes. Suivis et singés par une demi-douzaine de galopins tenaces, Axel et Lottie arpentent les rues de Cumaná, vagabondant comme des chiens en liberté au milieu des marchands. Toutes les choses anciennes sont bizarrement neuves car ils voient la ville d'un œil dont les écailles européennes sont tombées : des pyramides d'œufs, des régimes de bananes accrochés à des murs bleus, tomates, oranges, courges, piments doux, noix de coco, un homme vend des raisins secs, un autre des remèdes miracles, un autre des brochures illustrées racontant la vie immaculée d'un jeune Indien à qui la Madone de Guadalupe est apparue.

De grandes échoppes sombres sentent le cuir vert et l'encens, une rue entière est encombrée de métiers à tisser, d'écheveaux de laine, de soie, de bobines, de pelotes, de cordelettes, de pièces d'étoffe enroulées, de paille, de raphia, de plumes et de cages d'oiseaux. Ça sent la citronnelle, la morue séchée, les latrines n'importe où. Coquillages biscornus et inquiétants au goût de framboise, ananas à chair blanche, gros choux. Aux fenêtres sonnent des engueulades d'une volubilité démente, plus martelées encore qu'un roulement de tambour.

Sur la place principale, on voit encore les vestiges des temples détruits par les Espagnols. Dans l'ombre de la cathédrale presque neuve, des esclaves bâillent, la fumée des fours qui cuisent les galettes de maïs leur donne faim. L'un d'eux tend la main. Un doigt lui manque, son bras est marqué de lettres et de chiffres comme un meuble à inventorier : Je suis noir, mais ma misère est encore plus noire. Il est tatoué, flétri au fer, recousu de partout, rayé au thorax de grandes estafilades boursouflées.

À la porte d'une gargote on propose des filles, elles n'ont pas treize ans. Entrez, entrez, y a des petites poules là-dedans qui vous sucent comme elles vous sourient.

Dans une ruelle, un métis de Noir et d'Indien sans âge, boucané par la misère, attaque Axel à coups de machette. Le Prussien a le poing facile, l'autre s'effondre, prostré. À force de porter des sacs, il n'a pratiquement plus de peau sur les épaules.

Je suis désolé, dit Axel.

Des soldats se précipitent vers le grand Blanc qui a des livres dans ses poches.

Inutile d'appeler les flics, dit Axel. Ils vont entrer l'histoire à l'encre violette dans leur registre. Puis enchaîner, embarquer et pendre le vieux. Ça va me porter malheur et c'est tout.

Alors chacun est retourné à ses affaires, dont la principale est d'avoir trop chaud.

Axel a pris le métis sous son aile, ils sont allés chez le barbier bras dessus, bras dessous. Le vieux s'est à moitié assoupi sur le fauteuil pendant que le barbier lui tiraillait la figure. Le rasoir tranchait des parts de mousse chaude parfumées à la lavande. Axel regardait le métis qui roupillait. La paix s'infiltrait dans ses os. Le barbier, lui, était métis de Noir et de Blanc. Il a fait la barbe d'Axel. Il a dit simplement : Dieu a créé des Noirs, Dieu a créé des Blancs, il n'a pas créé les métis. Les métis n'existent pas dans la Bible. C'est pourquoi les Espagnols, qui sont si pieux, haïssent les métis.

Et ils en ont, du boulot, parce que le Venezuela concentre dix pour cent des esclaves arrivés en Amérique depuis la nuit des temps, on imagine le métissage qui s'ensuivit. Et toute nouvelle union avec des Indiens ou des Noirs ne contribue qu'à ramener le métis à une condition encore plus inférieure.

Pendant que la Révolution française affirmait l'égalité des hommes devant le monde, il y avait, en Amérique latine et ailleurs, ce petit hiatus entre la mulatraille et la négraille, qu'il ne faut surtout pas confondre. Il y a des hiérarchies, monsieur, et personne n'aime se faire marcher sur les pieds.

Souper chez le vice-roi, avec quelques membres du gouvernement, un grand banquet de soixante-quatorze couverts, offert dans de la vaisselle d'argent par un homme détesté, le gouverneur Lazaro de los Monteros, à toute une ribambelle d'autres ethnocides en grand apparat : un ministre aux traits tirés qui soigne sans doute sa syphilis au mercure, un archevêque frais comme l'œil et débordant d'énergie spirituelle, des officiers impeccables. Au bout de la table, posé contre un ciboire d'or, le portrait outrageusement verni du favori de la cour d'Espagne, Manuel Godoy, tout orné de guirlandes, les salue du fond du tableau dans un geste lent de ses doigts chargés de bagues et d'anneaux.

Assis près de Lottie, un couple silencieux, formé d'un descendant du dernier dieu-roi Moctezuma et de sa femme à longues nattes. Ils habitent un château en Castille et sont là pour affaires, quelque temps encore.

L'épouse du descendant des dieux fixe ostensiblement le cou et la mâchoire bronzée d'Axel, il a de la gueule, le Prussien, il a l'air d'avoir le cran qu'il faut pour apporter ici quelque chose de neuf, il est vraiment fringant, un bel homme avec ce teint blond brûlé qu'ils ont, comme rôti, et les yeux bleu d'eau.

Elle lui sourit. Axel détourne le regard, se racle la gorge et commence à parler de Goethe, du jardin botanique de Berlin et de l'éminent Willdenow, son nouveau directeur.

La femme sourit de plus en plus, prend des poses gourmandes, ignorant que si Axel rougit à n'en plus finir c'est qu'un jeune aristocrate créole, assis presque en face de lui, le distrait, le rend dingue. Et comme personne ne connaît le valeureux Willdenow, Axel met plus haut que tout le professeur Lichtenberg, qui enseigne la physique à Göttingen, et vient de lui écrire ceci, pas piqué des hannetons : Mon cher Axel, on me dit que vous êtes maintenant en Amérique équinoxiale. Méfiez-vous bien de ce pays. On y connaît mal la place de l'homme, et l'Indien qui le premier a aperçu Christophe Colomb a fait une découverte fâcheuse, car non seulement le Génois était un frénétique sexuel mais il adorait les chiens de combat qu'il nourrissait exclusivement de nez et de testicules prélevés sur qui vous savez.

Non, pense Lottie, il ne va tout de même pas leur dire des choses pareilles.

De fait, les Espagnols n'apprécieront que modérément la prose de Lichtenberg. Le vice-roi hausse les épaules, tandis qu'un diplomate rompu au désamorçage des gaffes amène adroitement la conversation sur les travaux du port de La Havane, les hauts plateaux de Cajamarca, les jardins d'or disparus d'Atahualpa, dernier souverain inca, avant de soulever la question des chantiers à ciel ouvert où gisent des crânes avec des yeux en pierre précieuse et des centaines de couteaux d'obsidienne.

Certes, dit un officier à perruque, les Incas que nous avons rossés ont laissé quelques tessons, mais pour ce qui est des sacrifices humains, je ne connais pas de peuple plus inventif : on ouvre la cage thoracique, on arrache le cœur puis on coupe la tête. Un jour, juste pour l'inauguration d'un temple, on a sacrifié vingt mille malheureux parfaitement résignés et disciplinés. De patientes files d'attente faisaient le tour de la colline.

Vingt mille, mais ça doit prendre des jours ! remarque en pouffant la femme du dieu vivant.

Pour changer encore de sujet dare-dare, tandis qu'on sert des viandes baignant dans leur jus, avec des poivrons tout fumants et moelleux, le vice-roi demande à Axel son avis sur les mines d'argent de Potosi.

Sous-exploitées, dit Axel. De l'amateurisme. À moins de cinq cents grammes d'argent pur par tonne de déblai, on y perd.

Tous les visages se ferment, Mais Axel poursuit : Vos moyens sont dépassés, votre personnel insuffisamment formé et je crois bien qu'on vous truande !

Le dieu vivant regarde le prospecteur avec un pâle sourire, l'air de dire que sur la question du vol, ils en connaissent un bout, les Espagnols.

Il vous faudrait un ministre des Mines, ajoute Axel.

Ce sera donc vous, baron, lance le vice-roi. Derrière son sourire, rubis, topazes, pierres de lune rutilent et fulgurent déjà.

Impossible, réplique Axel qui lève la main dans un geste brusque de dénégation.

Il est prussien, il ne servira pas d'autre pays que la Prusse. D'ailleurs s'il s'intéresse à l'Amérique équinoxiale, ça n'est pas pour le profit en vérité, c'est par pure curiosité scientifique, pour aller contempler tout vivants les végétaux que l'Europe ne connaît que fossilisés, les arbres dans le secret de leur force, avant de devenir houille et de tapisser le fond des mines.

Air embarrassé de Lottie qui comprend bien qu'Axel est en train de se saborder.

Mais comme il a un peu trop bu, qu'il a le visage cramoisi et que ses grands gestes de bras triplent d'amplitude, il embraye tout aussi dangereusement sur la pesanteur du despotisme espagnol, incapable d'exploiter des richesses souterraines qui ne profiteront de toute manière qu'à la vieille Espagne et jamais à l'économie régionale. Puis il exalte le courage des Français qui viennent d'abolir l'esclavage, voilà enfin des hommes !

Le jeune aristocrate créole ouvre des yeux ébahis.

Sans compter, dit Axel, que vous souffrez d'une terrible pénurie de cartes géographiques.

Madrid et la route qui conduit de Bayonne à Madrid sont plutôt bien connues, et cartographiées en détail. Mais en général le reste de la Péninsule n'est guère plus exactement décrit que l'intérieur de la Chine.

À mon retour j'y remédierai, dit Axel. Mais seulement quand j'aurai décrit en détail le cours de l'Orénoque.

Sur un geste agacé du vice-roi, un domestique lui cloue un cigare dans le bec. Et on passe à autre chose, on se met à porter des toasts patriotiques, parce qu'il impressionne, le Prussien, une brute tout en muscles, il paraît que ce n'est pas le genre à refuser la bagarre, ça se voit tout de suite à son menton couturé de cicatrices, dont une profonde lui coupe la lèvre supérieure et le fait rire, quand il la voit dans la glace, au souvenir du coup de boule qu'il avait envoyé à un épais Hollandais, dans un cabaret de Göttingen, quand il adorait tabasser, à vingt ans, et qu'il cognait chaque nuit pendant des heures, rentrant parfois chez lui avec les poignets foulés tellement il avait tapé dur, les oreilles encore enflées par les gnons équitablement partagés.

Plus tard dans la soirée, Axel réussit enfin à échanger quelques mots avec le beau créole. À voix basse il lui demande des renseignements sur la langue qu'on parle à Cumaná : C'est pour mon frère Wilhelm qui étudie justement les idiomes du Nouveau Monde.

Mais le garçon est un imbécile et ses commentaires, gloses et véroniques autour des langues amérindiennes sont fantaisistes et même suspects.

De toute façon, ils sont interrompus par l'Aztèque. Et tout ce qui intéresse l'illustre descendant, c'est de casser de l'Espagnol.

Les Espagnols croient avec leurs genoux, dit-il, les genoux sont chez eux les seuls organes catholiques. Le reste du temps, ils bouffent du Noir et de l'Indien sous prétexte que ces primitifs adorent le Soleil. Mais le Soleil n'est pas digne des Espagnols.

Il se charge ensuite d'expliquer au Prussien les règles de la vie en commun entre les races et les couleurs multiples. Et le descendant divin est particulièrement apte à ce travail car il est bourré à craquer d'obsessions raciales pathologiques. En vérité, pour ce petit dieu, les Noirs et les Blancs eux-mêmes ne sont qu'un négatif de son propre Moi, immense et exubérant.

C'est que l'orgueilleux descendant a une idée fixe et est victime d'un complexc de supériorité. À la cour comme à la ville, il ne remarque que métissage. Or il a une horreur physique des Blancs, encore plus que des Noirs. Il en voit partout, il ne vit plus, il ne respire plus, il en tombe malade, il en a le vertige, il craint leur contamination plus que la fièvre jaune. Il semble d'ailleurs très au courant des progrès de l'anthropologie sur le Vieux Continent. Car pendant qu'Axel mesure la température du sol et celle de l'air, la vitesse du vent et le poids de l'air sur une colonne de mercure, là-bas des philosophes bien-pensants mesurent des crânes, et tout particulièrement l'angle entre les mâchoires et le front, mais avant d'arriver à un angle facial de cent degrés, c'est-à-dire l'idéal représenté par l'éphèbe grec d'une statue de Phidias, il faut se coltiner des mesures autrement plus bestiales, des Esquimaux, des Hottentots, des Mongols.

On a compris que l'idéal du descendant n'est certes pas grec, mais c'est tout comme, on a son canon grec un peu partout. En tout cas le principe est le même.

Axel cherche un peu la bagarre avec ce raciste : Il est certain que c'est une terrible humiliation de descendre dans l'œsophage de son ennemi. On n'imagine pas une dispersion et une désagrégation plus complète de notre moi orgueilleux, mais tout de même, le cannibalisme aztèque était une forme d'exploitation encore supérieure à celle des Espagnols. Même le bourgeois madrilène se retient de manger un aspic de pied d'Indien ou l'une de ses mains en daube froide.

Moctezuma vous aurait déchiré lui-même à coups de pierre, répond le descendant avec un petit rire de mépris.

Axel passera trois mois à prospecter autour de Cumaná, où l'on n'a jamais découvert la moindre pépite. C'est la présence d'un gilet aux boutons d'or massif dans la garde-robe d'un vieil intendant des vice-rois, mort il y a plus d'un siècle, qui avait établi pour toujours la croyance en l'existence d'un gisement dans le coin.

Le nez au sol, Axel se lance dans une étude géologique des lieux, mais il ne rencontrera que quelques veines de quartz aurifère, et pas une seule paillette digne d'intérêt. Quant au trésor, ce sera le *saman*, un arbre géant de la famille des Mimosées dont le branchage a, sans rire, une circonférence de cent quatre-vingt-cinq mètres.

XIII

La mer est indigo, le ciel bleu perroquet, au loin les montagnes si étrangement découpées, génial. Matin et soir les cumulus forment une muraille et puis ils jouent à se fondre, à se dissocier, à s'agglomérer pour se pulvériser dans l'atmosphère rayonnante. Une splendeur. Les plus beaux paysages du monde. Les plus colorés. Les yeux vont jusqu'au soleil. Et au-delà. La lumière est si intense qu'elle fait encore peur aux peintres espagnols, personne ici n'est capable de la faire exploser dans ses toiles, et pour l'instant les paysagistes allemands préfèrent les ruines sombres dans la Forêt-Noire.

Et des fleurs, des fleurs. Palmiers, cactées, et un peu plus loin la forêt vierge, hostile, menaçante, mystérieuses, noire de chlorophylle. Quelques oiseaux tapageurs se penchent aux branches pour les regarder.

L'abbé Cavanilles a montré à Axel les dahlias qu'on vient de rapporter du Mexique. Il en a fait envoyer aussitôt quelques spécimens à Willdenow. Des orchidées épiphytes pendent des arbres et se nourrissent seulement de l'humidité de l'air, ce sont des tillandsias, on les appelle aussi filles de l'air, elles s'accrochent aux branches, aux lambeaux d'écorce, leurs feuilles argentées absorbent l'humidité ambiante ; d'autres, aux pétales très charnus, poussent dans l'humus. Un myrte fait une baie comme une petite pomme rose. Axel herborise comme un fou. Tout est si nouveau qu'il ne peut se consacrer à rien de précis. Il jette un fruit pour se saisir d'une fleur, puis d'une autre fleur. De grands papillons bleu et noir tournoient.

Je vais perdre la tête si ces merveilles ne cessent pas bientôt.

Voici la fameuse passiflore, dont Willdenow lui avait parlé mais il n'en possédait qu'un exemplaire rabougri. Maintenant Axel l'a sous les yeux, la fleur de la Passion du Christ, et c'est vrai que ses larges pétales étoilés font une couronne d'épines, les étamines mousseuses évoquent l'éponge vinaigrée et le pistil pointu les clous de la crucifixion.

Tout de même, dit Lottie, tout aussi ivre de pollen, mais un peu plus critique, il faut le dire vite.

Malgré le ciel gris et le soleil filtré, la chaleur est atterrante, ils ont très chaud, la nausée, leurs jambes tremblent, ils étouffent. Ils éprouvent tout l'éventail des sensations caniculaires. Peu à peu leur conscience et leur curiosité se retirent de leur corps qui trouve bien assez d'occupation dans la sécrétion de la sueur. Des heures durant, Lottie regarde rissoler le monde. Axel s'absorbe dans la sereine contemplation de l'océan en suçant des citrons qui ne sont pas moins lumineux que la chandelle, la nuit, sur sa table de travail. Il a abandonné ses instruments de cuivre et de laiton.

Je ne vois plus les angles droits, dit-il à Lottie. Depuis que nous avons débarqué je ne vois plus que des courbes.

Il montre au loin les poissons, la trajectoire qu'ils décrivent en sautant, pour replonger. Mon système nerveux est trop assoupi par la chaleur pour que je m'intéresse à des chiffres ou à des formes exactes. D'heure en heure je me sens devenir différent. J'ai conscience que dans cette atmosphère de serre chaude il est inutile de travailler, de vouloir, de faire un effort. Seul réussit ce qui se produit spontanément. Et à Cumaná il se produit spontanément un nombre incroyable de choses. À vrai dire tout en moi se produit spontanément. Ma volonté s'est évanouie, quoi que je fasse. Je ne projette plus rien, je ne désire plus rien, j'ai cessé de construire de fabuleux projets et d'y penser jour et nuit. Au contraire, je suis devenu un être paisible, je suis un enfant qui vit au jour le jour et une grande paix est descendue sur moi, mes terreurs se sont apaisées, je suis doux, je ne désire rien, ma jouissance est constante, il me suffit de boire une gorgée d'eau pour que mon corps me remercie par un plaisir inouï, je suis désormais sans ambition et sans besoin d'activité. Au début cette métamorphose m'a effrayé, je me sentais diminué, fichu. Et surtout je me demandais s'il y aurait un prix à payer pour cette paix, un prix plus lourd encore. Mais je ne crois pas, cette pause n'est que le résultat de la chaleur extrême. Elle me calme, elle me tue joyeusement.

À Willdenow il écrit : Je suis couvert de pustules, les moustiques me bouffent, des moisissures me rongent les orteils, j'ai plus affaire aux insectes qu'aux hommes, mais je ne regrette rien. L'Europe ne me faisait plus progresser. Ce milieu-là m'était trop familier pour obliger mon cerveau à inventer de nouvelles manières d'être. Et puis c'était un milieu trop mesquin. Toute l'Europe au fond a le même esprit. Je vais bientôt descendre le cours de l'Orénoque, je veux aller sous des latitudes où ma vie devra obligatoirement se transformer pour se maintenir, où l'intelligence des choses exige un renouvellement radical des moyens intellectuels et où il faudra que j'oublie ce que j'ai su et ce que j'ai été autrefois. Tu sais qu'une telle amnésie me sauverait. Je vais laisser agir sur moi le climat des tropiques, le niveau de conscience des Indiens, le mode d'existence des esclaves et beaucoup d'autres facteurs, que je ne peux pas calculer d'avance. On verra bien ce qu'il adviendra de moi. Suis-je un artiste de la vie ?

Lottie n'écrit à personne. Dans son journal elle note : Je suis née pour vagabonder, voir et sentir tout ce qu'il y a à voir et sentir au monde. Je suis violemment heureuse à Cumaná. Les deux premières semaines, j'ai mal dormi de joie, j'ai eu des réveils à pleurer d'ivresse du jour qui monte. Je ne connais pas la bouche et les caresses des créoles mais je me suis offert des libertés qui ne demandent pas autre chose que la voix d'un homme très brun, ses yeux, son sourire et ses jolis mots d'enfant qui s'essaie à l'allemand. À Berlin mes sens n'étaient pas heureux. Ici, à force d'entraînement, je me construis, brique après brique, un kiosque intérieur où l'existence est moins abjecte.

À plat ventre sur le lit, elle est plongée dans le dernier Chamisso, une histoire d'homme qui a perdu son ombre et du Diable qui en est friand.

Ça me fait penser à ta mère, dit-elle. À ton éducation huguenote.

Quoi ?

Ce désir d'avoir à tout prix une ombre, comme si c'était normal et obligatoire. Ta mère t'a toujours considéré comme un homme sans ombre, je veux dire sans désir pour les femmes, comme s'il t'avait manqué quelque chose, cette aura sombre qui devait à ses yeux t'accompagner où que tu ailles.

Mon éducation vaut pour une hémiplégie... Mais ma mère n'avait pas tort. Tu as vu l'importance de l'ombre à Cumaná ? Sans ombre, tu crèves !

Lottie reprend sa lecture. Après Chamisso, elle ouvre un roman de Jean Paul.

Écoute ça : "Je ne veux pas d'une héroïne, car je ne suis pas un héros, mais seulement épouser une fille aimante et attentive ; car je connais désormais les épines de ces chardons splendides et flamboyants qu'on appelle des femmes géniales." Est-ce que tu me considères comme un chardon splendide ?

Axel répond d'un raclement de gorge. Il s'est mis au travail, immobile, concentré, une flaque de sueur sous chaque coude, tandis qu'une famille de mouches s'affaire à passer de ses lèvres à ses paupières.

Cent millions de cigales au soleil parmi les cactus, les palmiers, les mimosas. Le ciel est torride et bas. La chaleur de serre anémie tout vocabulaire. Et on a beau faire, cette chaleur finit toujours par l'emporter. Le soleil du Venezuela rit franchement de la moindre entreprise de longue haleine.

À la fin de l'après-midi, Axel a péniblement couvert de pattes de mouches la première demi-page de son grand œuvre et il est en train de punaiser au mur une grande feuille de papier pour accueillir les idées à traiter demain, quand un scorpion noir dégringole des poutres dans son bol de thé. Il l'attrape entre pouce et index, juste sous l'aiguillon.

On a déjà recensé six cents espèces de scorpions. Voilà encore du travail. Ce doit être un *Tityus*. Certains *Tityus* vivent perchés dans les arbres. Ça n'est pas le cas de celui-ci.

La nuit, dards, mâchoires, mandibules, fourmis en armes, d'un noir verni, astiquées comme les bottines du roi de Prusse, coléoptères à grosse tête obtuse vibrent et se déchaînent, pour le plus grand bonheur du naturaliste, accroupi des heures à contempler leurs massacres et à les tarabuster du bout de son crayon, pendant que des termites réduisent silencieusement les murs de l'auberge en farine. Et chaque matin, sur les draps pourtant changés, propres et secs, la petite tache de sang des punaises.

Tu vois cette guêpe ? Elle se reproduit par parthénogenèse, comme les pucerons, c'est-à-dire que les femelles pondent des petits sans besoin de copulation avec le mâle.

Alors je suis puceronne dans l'âme, déclare Lottie.

T'es une vraie guêpe, oui !

Leurs deux chambres avec terrasse coûtent une misère. Le soleil ne coûte rien. La bascule douce de l'horizon marin apaise. Un cachalot s'ébroue et chasse au grand large.

Un matin il y a une lettre pour Axel, au timbre oblitéré par une méchante balafre de fiente de mouette. Son cœur bat, il en déchiffre quelques lignes au travers de l'enveloppe, les mirant à contre-jour, puis la roule en boule et la met à la poubelle.

C'est qui ? demande Lottie.

Wilhelm.

Tu as l'air déçu, tu attendais mieux ?

Ici la nuit tombe comme une pierre. Pour le dîner ils se font cadeau d'un melon, le curent jusqu'à l'écorce et se gorgent de thé. Puis Axel sort fumer sur le pas de la porte. De minces silhouettes noires, culottées de chiffons rouges, s'affairent autour d'une barque déglinguée. La plupart des embarcations sont rouillées et réparées avec de la ficelle, on se demande parfois comment la pression d'Archimède y trouve encore son content de flottant, comment l'océan lui-même parvient à trouver la quille et constate qu'il s'agit bien d'un navire, et non d'un détritus ou d'une simple illusion d'optique.

Sur la plage de sable fin en forme de croissant de lune, une femme aux bras magnifiques porte un panier de mangues. Lottie met sa main en visière pour mieux voir sa silhouette dansante, sa peau dans la lumière du feu de camp. Des enfants jouent pieds nus. Leur ballon est une grosse boule de chiffons. Leur partie fait moins de bruit que les vagues.

Au loin, un bateau minuscule s'envole, lancé dans le ciel par l'écume phosphorescente.

C'est tellement beau, dit Lottie, je n'en guérirai pas.

Ce dont elle ne guérira pas, c'est de la jalousie, parce que ce soir-là sur la plage, le vice-roi a fait livrer au grand Prussien une jolie fille pour s'amuser. Ce sont des choses qui se font entre diplomates de grandes nations grivoises. Cadeau d'un puissant État à un autre, en signe de paix et de concorde.

Axel a hésité puis il a pris la fille dans ses bras. On a fait du feu sur la plage. Un garçon a apporté une guitare, il chantait et imitait une trompette en sifflant dans un tuyau. Axel battait des mains en rythme et dansait avec la fille. Je m'appelle Teresa

Torres, a-t-elle dit. Elle était grande et brune avec les cheveux réunis en queue de cheval. Le colonel Torres est mon père, a-t-elle dit. Elle avait de jolis seins bronzés qu'on devinait à travers son chemisier. Ils ont dansé et Axel ne voulait plus la lâcher. Il la tenait dans ses bras, la serrant comme on serre quelqu'un à qui on ne veut pas renoncer.

Ils se sont embrassés. Cela s'est passé devant Lottie, sur la plage. Après quoi la fille a emmené Axel dans sa maison, en ville. Lottie est rentrée à l'auberge, mais elle aurait voulu les suivre, elle aurait bien voulu voir comment Axel se comporte avec une femme nue, comment il s'y prend, comment il bouge, comment il jouit avec une femme. S'il peut jouir.

Lottie sourit : Si l'occasion se présente, je suis prête à coucher avec eux. Elle est résolue à tout pour Axel.

Le lendemain matin elle lui a demandé : Tu préfères vivre une grande histoire amoureuse avec une femme ou avec un homme.

Axel a dit : Un homme.

Alors pourquoi tu es parti avec cette fille ?

Il dit qu'il ne sait pas. Parfois il est incapable de choisir, il ne sait pas où il en est. C'est le vice-roi qui a été le plus fort, qui l'a convaincu, qui l'a dompté. Axel semble soudain assez naïf, sans défense, plus vulnérable même qu'à Berlin. Il dit qu'il n'a pas aimé embrasser cette fille. Qu'il se l'est farcie juste pour ne pas créer un incident diplomatique. Qu'on ne se foute pas de sa gueule en haut lieu.

Mais il tremble encore, il est pareil à quelqu'un qui vient d'échapper à un orage et dont le corps est encore tout chargé d'énergie sensuelle.

Avec un homme, ça ne me gênerait pas du tout, dit Lottie, renfrognée. Que tu aies eu une relation avec un homme, pour moi ça ne compterait pas du tout. Je sais que tu as besoin d'un monde que je ne pourrai jamais t'apporter parce que je ne suis pas un mec. Je sais que tu as besoin d'un mec pour créer le héros en toi-même. Un mec, je le tolérerais. Mais tâche que je ne rencontre jamais tes maîtresses. Si je vois par quoi tu es séduit, je m'enivrerai de mépris. Le mépris me fera exulter. Je guérirai de toi instantanément. De même que j'ai été vaccinée de Goethe quand j'ai posé les yeux sur sa Gretchen. Pas le moindre coup de feu dans la tempe – apprécie. Se tirer une balle à cause de la jalousie! La jalousie? Je laisserai simplement la place, de même que l'âme laisse toujours la place au corps, surtout à celui d'autrui, par pur mépris. Je laisse déjà la place à toutes tes Gretchen.

Puis elle s'en va pleurer ceci dans son journal : J'ai cru que ce garçon serait capable de coucher avec moi dès l'instant où nous aurions franchi l'Atlantique. Qu'il irait de temps en temps se payer un mec, comme à Berlin, mais qu'il serait quand même à moi, parce que la traversée de l'océan aurait remis les pendules à l'heure. Je le voyais changeant de cap, retournant sa vie comme un gant, virant de bord. Je croyais que désormais je serais la seule. Donc je n'ai rien compris, pas compris sa fringale érotique pour la pute. Je pensais vraiment que j'allais être la seule femme de sa vie. Je ne le savais pas capable de ça, parfois c'est un cheval fou, il a les nerfs à nu… Je n'ai rien compris à Axel.

Sur la route de Lottie, il y aura toujours l'insaisissable Axel, et les sentiments tumultueux qu'elle lui porte : admiration, mais encore possessivité et jalousie. Elle l'adore et elle souffre. Il est devenu pour elle une obsession. Elle pense parfois que si elle parvenait à surmonter l'insatisfaction de cette étrange liaison refoulée, elle résoudrait ses difficultés avec les hommes en général, avec le souvenir de Marcus peut-être, et le reste aussi, c'est-à-dire cette recherche inquiète, cette insatisfaction, ce sentiment de vide derrière les choses, parfois cette fermeture à la vie et ces ruminations sans fin.

À travers Axel, elle entend bien tirer au clair ce qu'elle attend de l'amour. Elle a vingt-cinq ans. Elle est mariée depuis l'âge de quatorze ans. Elle a peut-être aimé des hommes. Elle n'en sait rien. Mais elle a fait le tour des impasses où s'est fourvoyée sa féminité. Elle sait que l'habite ridiculement la quête éperdue du grand amour, qu'on lui dise enfin chérie tu es la seule et je t'aimerai éternellement, même si elle doit rire au nez de l'amoureux.

Un jeune créole fier comme un pou joue chaque jour de la guitare pour la grande femme brune avec son air de somnambule qui, dès avant midi, a quelque chose à cacher dans un grand verre de vin, et qui vit avec un Allemand que manifestement elle adore mais qui ne la prend jamais dans ses bras. Il joue des airs castillans mêlés de chansons indiennes. Il est tombé amoureux de Lottie. Pour de vrai. Quelque chose comme un coup au cœur. Il s'appelle Armo. Il s'assied sous les fenêtres de l'auberge tous les soirs au coucher du soleil, contre une haie de tamaris, et il joue. Lottie le regarde accorder d'abord longuement les cordes de sa guitare, il les change si besoin est, puis coups de paume sur la caisse pour en estimer la résonance, tambourinage d'essai pour juger de l'effet obtenu, et ça donne une phrase rythmique qui touche Lottie au ventre. Une certaine vibration de l'atmosphère, comme le départ d'un gros essaim, s'installe. Cet éveil de la musique en Armo, Lottie l'éprouve au plus profond d'elle. Le garçon se met à préluder. Rebond des notes sur la vitre et sur le mur, proposant des bribes de gamme, des bouts d'arpège. Puis son regard prend une certaine fixité. Bizarrement ailleurs, il chante. Lottie écoute sa gorge qui vibre. Ressent jusqu'au bout des doigts la palpitation de ces sons-là.

Et puis un jour, vers dix heures, il se passe quelque chose. D'abord un choc sourd, loin, là-bas, vers les collines. Puis les murs tremblent et on dirait que la musique bascule dans le chaos. Pour quelqu'un qui n'a jamais vécu cela, c'est assez inexplicable.

Quand on s'approche d'un gros tambour, on entend par le ventre, qui se met à vibrer, autant que par les oreilles. Si on se place tout près d'un petit tambour aztèque, dont la membrane est très tendue, et plutôt fouettée que battue, prestissimo, à l'aide de fines baguettes, c'est toute la tête qui retentit. Dans la cathédrale de Cumaná, devant l'orgue à pleins jeux, c'est par tout le corps qu'on reçoit la musique. Mais quand c'est la terre qui tremble, le ciel qui résonne, quand la terre a déclenché soudain sa machine à lancer les gravats et les tuiles et les madriers, on la subit, on baigne dans les coups. Et l'instant d'après, tout a été bouleversé pour toujours.

À un séisme, on ne résiste pas, sinon par la fuite. Tous les habitants de Cumaná refluent vers la plage, un pan de la cathédrale s'est écroulé, en a resurgi le mur d'un temple indien, décidément les Espagnols ne savent pas construire pour l'éternité. Les charognards sont déjà juchés sur les angles des toits, leurs ailes dépliées. Mais Lottie ne fuit pas. Lottie écoute son corps jouer, très à l'aise dans les vibrations de la terre. Seule dans sa chambre, appuyée contre le mur qui se lézarde, elle hurle de plaisir en écoutant la terre trembler. C'est à la fois un petit tambour, un gros tambour et un orgue. Toutes ces vibrations dans son ventre, il ne faut pas être grand clerc, on ne fera pas un dessin. Des vibrations entre les cuisses, profondes. La mélodie de l'orgasme, seule au pied du mur lézardé, et les bourdonnements dans ses oreilles. Le son remue le sang. Être en contact avec les contractions de la terre, sentir le sol vibrer sous les chocs, sentir ses cordes crier. Elle reste complètement immobile. Son crâne résonne et elle est encore à moitié sourde. Contusionnée, en sang parce qu'elle a reçu sur la tête un joli morceau de plâtre, engourdie de partout, elle se met à pleurer, sans doute de soulagement.

Le petit guitariste a couru vers l'entrée de l'auberge, grimpé l'escalier d'un coup de rein. Il tambourine à sa porte : Viens vite, il faut te réfugier sur la plage. Viens vite, le tremblement de terre va revenir et toute la ville sera détruite !

Allez-vous-en, crie Lottie. Laissez-moi tranquille, je sais bien ce que j'ai à faire.

Durant un grand quart d'heure il l'interpelle encore. Elle n'a pas ouvert. S'est contenté de pivoter sur ses fesses pour lui tourner ostensiblement le dos au cas où ce malotru oserait enfoncer cette porte.

Le genre d'affront sentimental qui peut se payer ici aussi d'un suicide, parce qu'on sait lire *Les Souffrances du jeune Werther*, même de l'autre côté de l'Atlantique, au pied d'un araucaria.

XIV

Le long de la côte qui borde la mer Caraïbe, Axel et Lottie ont visité l'île à perles de Margarita, Valencia et sa Plaza Mayor surdimensionnée, le port en eaux profondes et le fort de Puerto Cabello, enrichis par la contrebande avec la Jamaïque. Ils ont observé les irisations folles des rives du lac Maracaibo et les jaillissements spontanés de ce qu'on appelle déjà du pétrole. Dans une échancrure de la chaîne côtière, ils ont vu l'oasis de Coro, où Christophe Colomb débarqua, et où quelques années plus tard, en 1806, le "Précurseur" Francisco Miranda irait piteusement échouer dans sa tentative de libérer la "Colombeia".

Ni trop riche ni trop pauvre, Caracas, la modeste Capitainerie générale du Venezuela, ne peut soutenir la comparaison avec les vice-royautés du Mexique et du Pérou. Ses ressources ne sont qu'agricoles : tabac, indigo, coton, et surtout son fameux cacao. Ici, pas d'imprimerie, mais pas non plus d'archevêché ni de Saint-Office. Seule richesse des maisons cossues : le nombre de leurs patios et leur exubérance végétale.

Caracas, ou plus précisément Santiago de León de Caracas (la ville était placée sous la protection de saint Jacques, apôtre de l'Espagne), fut fondée relativement tard, en 1567, dans une vallée tempérée, située à proximité de la côte. Le site était en principe protégé des incursions des pirates et autres boucaniers. Nichée en moyenne montagne, la ville avait séduit les Prussiens par son printemps perpétuel, il y fait vingt-cinq degrés presque tous les jours.

Dans une lettre à Goethe, Axel décrit une ville propre, avec ses rues bien alignées, ses maisons aux tuiles rouges et ses places fleuries, ses églises et ses couvents : Nous sommes arrivés à Caracas le jour des Rameaux. Une procession promenait des mannequins de juifs remplis de paille et de fusées, auxquels on avait mis le feu. Mais on se plaignait parce que les juifs, à cause de la grande humidité de l'air, brûlaient moins bien qu'à l'ordinaire. Le genre de saintes récréations faites pour adoucir les mœurs, et vous vous doutez bien que Lottie a adoré la scène…

Lottie s'étonne de la vie alanguie des créoles les plus aisés, rythmée par les trois siestes, les trois repas et les deux bains quotidiens. Et même les domestiques ne travaillent qu'à mi-temps.

L'ancien étudiant en économie politique a vu d'un seul coup d'œil que le commerce ici est monopolisé par les Catalans et les Basques. Et, comme toujours, la hiérarchie sociale est fondée sur la couleur de la peau : au sommet, quelque chose comme douze mille Espagnols d'origine métropolitaine, et juste derrière, mais derrière quand même, et cette place subalterne on la leur fait sentir, pas moins de deux cent mille créoles, dont la frange aristocratique des *mantuanos*, qui lisent volontiers des bouquins français et italiens, et raffolent des idées politiques à la mode, beaucoup plus d'ailleurs qu'à Santa Fe de Bogota ou à Lima.

À la différence des nobles mexicains, enrichis grâce aux mines d'argent, les *mantuanos* ont l'air de ploucs, ce qui ne les empêche pas de se prendre pour de hauts dignitaires, disons seulement que les femmes portent des capes aristocratiques et que, pour se rendre encore plus aristocratiques, elles se rendent à l'église, suivies d'une cohorte de très jeunes servantes esclaves se coltinant les tapis que leur statut d'exception les autorise à utiliser pour s'agenouiller.

La Guaira est l'avant-port de Caracas, un endroit idéal pour attendre la fin de la saison des pluies et achever, entre quatre murs blancs et des nuits d'indigo clair, les préparatifs d'une expédition. On va remonter l'Orénoque, avec ce rêve fou : dépasser le point atteint par Sir Walter Raleigh, trois cents ans auparavant.

L'ampleur et l'audace du projet effraient les bourgeois de Caracas. Les créoles d'ici ne sont pas des aventuriers, ils pensent à autre chose, peut-être déjà carrément à une Révolution. Ils lisent Rousseau en cachette et peuvent vous réciter d'un trait la Déclaration des droits de l'homme et du citoyen. Naturellement, ils envoient leurs jeunes gens étudier à Paris.

Simon Bolivar est un enfant du pays. Il rentrera dans trois ans environ, après son tour d'Europe, la tête pleine, et on sait bien ce qui va en sortir, d'enthousiasmant et de meurtrier à la fois.

Sinon, les Blancs de Caracas ne valent pas plus que ceux de Cumaná, et vivent selon le seul principe que *todo blanco es caballero*. Mais aucun de ces nobles cœurs chevaleresques n'a jamais songé à escalader la Silla, une montagne pourtant modeste, qui surplombe la ville.

Lottie et Axel, eux, s'empressent de grimper, dans un silence bourdonnant de chaleur, salués, encore plus haut dans le ciel, par un vol d'oiseaux migrateurs.

Le 7 février 1798, ils partent enfin pour l'Orénoque, vissés sur leur cheval, faisant corps avec lui, la machette battant au troussequin de la selle, un grand lasso de cuir au pommeau. Axel a tracé sur une carte, avec un bout de crayon mâchonné, un itinéraire fantastique. Au sud de Caracas commencent les llanos, un océan d'herbes géantes qui coule sur mille kilomètres, des Andes à l'Orénoque. Il en souffle comme un vent du large, ravivant l'éclat des étoiles, affûtant l'éclat des sons. Qui va vers l'ouest doit traverser ces llanos, qui ne sont pas autre chose qu'un été figé, sorti du temps, collé pour toujours aux feuilles humides, aux troncs pourris et vivants à la fois, aussi bien qu'à la terre craquelée où dorment serrés les uns contre les autres les chevaux et les hommes.

Depuis quelques siècles déjà, une petite ration de blé et un peu de science distribués à tous les habitants de l'univers ainsi satisfaits permettent à l'Occident une gestion bien pensée des richesses de la planète.

Bientôt les délégués des provinces des États-Unis d'Amérique décideront sur le papier la suppression pure et simple des Indiens. Bientôt le massacre des Hottentots sera consommé. Bientôt le score normal pour une famille de Boers bien-pensante sera de cinq à six mille victimes par mois. Et Cook ignorait, lorsqu'il mit le pied à Bounty Bay, que quarante ans plus tard tous les aborigènes seraient décimés au cours de parties de chasse où on les trouverait du reste beaucoup moins drôles à plomber que les kangourous.

Pour cette raison et quelques autres, les Indiens des llanos sont prudents et presque sauvages. Ils préfèrent nettement les bêtes aux hommes blancs. Ils paissent un million de bovins fauves et quelque deux cent mille chevaux, hors de tout enclos. Minces et tout en os, ils vivent à cheval, des éperons armant leurs pieds nus, et couchent dans des cabanes de roseaux couvertes de peaux de bœufs. Axel et Lottie ont décidé de faire un bout de chemin avec eux. Ils portent des vêtements de daim, et tous les deux ont un petit cigare mexicain au coin de leurs dents serrées. Ils ont également des sombreros de feutre aussi grands que ceux des Indiens mais, à leur grande honte, pas encore aussi délavés ni passés au soleil.

Cette fois ils n'ont pas de direction précise. Pas de projets. Juste celui de vivre avec les Indiens, avant d'en découdre avec l'Orénoque. Le chapeau enfoncé sur le front, le col de leur veste relevé, ils mènent leurs chevaux au pas.

Le soir on s'accroupit autour du feu pour couler des balles et découper de la bourre. Les torches répandent une lueur rougeâtre sur les têtes et les bras, font luire la boue dont il a fallu s'enduire pour se préserver des moustiques, sèche, dure, brillante comme du verre.

On mange du lézard, on boit du café dans des tasses en écorce et on regarde fuser et mourir les braises attisées par le vent. Les chiens repus se taisent. Les Indiens sont de pauvres diables déguenillés. Et aussi quelques nègres. Les haciendas de cacao concentrent l'essentiel de la main-d'œuvre servile. Et les esclaves en fuite, les cimarrons, viennent ici se réfugier dans les llanos. L'un d'eux porte un collier d'oreilles blanches. On ne pose pas de questions.

On se regarde en souriant dans une nuit qui résonne des jappements des coyotes. Un enfant dont on ne voit pas le visage égrène note après note un exercice de guitare. Près du feu, Axel embaume savamment les oiseaux qu'il a abattus, frottant les peaux avec de la poudre à fusil et les bourrant de boulettes d'herbe séchée avant de les ranger dans ses sacoches. Il presse des feuilles d'arbres et de plantes entre les pages de son cahier, ainsi que des papillons qu'il a traqués sur la pointe des pieds, des papillons de montagne capturés avec sa chemise tenue à deux mains déployée devant lui, en leur parlant presque à voix basse, comme s'il n'avait pas été lui-même un bien curieux spécimen. Lottie le regarde prendre des notes dans son registre, la page tournée vers le feu pour y voir, et elle se demande pourquoi il fait tout cela. Quand elle lui caresse les cheveux d'un petit mouvement rapide, la plume d'oie n'interrompt pas son grattement.

Quelque chose réveille Axel aux premières heures du jour. Des formes qui bougent dans le noir. Il attrape une torche fumante et la dirige contre les arbres, en quelques allers et retours tout à fait inutiles. Une douzaine d'yeux brûlants l'observent au hasard de la nuit. Clignotements intermittents, éclipses et réapparitions quand les têtes se tournent. Des vaches ? Des singes ? L'un ou l'autre, il s'en convainc. Il repose la torche sur son socle et se rallonge. L'air est humide et lourd de toutes sortes de parfums. Axel perçoit l'odeur de l'eau dans la rivière et la rosée dans l'herbe et le schiste humide de la falaise. Le temps est couvert, il n'y a pas d'étoiles pour le tarauder de leur mystère d'espace et de temps. Il ferme les yeux. Il entend les mille petits bruits des oiseaux et des animaux sauvages, il sent monter le souffle froid de la terre, avant de se trouver à l'unisson avec tous les êtres vivants, vivant lui-même, vide, mais déjà sauvé. Il pense à Lottie. Elle semble avoir changé. En mal, se dit Axel.

À l'aube, une petite pluie fait entendre son clapotis sur son sac de couchage. Axel s'enveloppe dans le poncho qui lui servait de matelas. Après quelques jurons, il se rendort. À sept heures le soleil est levé et les papillons butinent les orchidées. Un colibri s'offre un piqué juste au-dessus du garçon, siffle joyeusement et repart comme une flèche. Mais Axel s'était trompé sur l'évolution de Lottie. Elle est debout, une poêle à frire à la main, dont elle se sert comme d'un gong en criant : Debout, vieux, les crêpes sont chaudes ! Viens déjeuner !

Le soleil est une grosse orange dans le ciel et darde ses rayons à travers les lianes. Jeux de lumière incroyables sur une montagne de schiste micacé, des reflets dingues, comme sur un gros diamant posé là, à fleur de terre.

C'est l'un des plus beaux matins de sa vie. Tout est merveilleux de nouveauté. Même Lottie.

Ils bivouaquent cette nuit-là au pied d'une falaise. Axel est assis, débotté et hirsute, devant le feu et il boit de l'eau-de-vie à sa gourde. Il est donc assis quand le Noir s'approche du feu, jette par terre son tapis de selle et commence à bourrer sa pipe. Le Noir guette manifestement Lottie par-dessus le fourneau de sa pipe. Lottie n'est pas tranquille. Axel n'est pas tranquille pour Lottie. Autour de ce feu il y a soudain des hommes dont les yeux renvoient la lumière comme des charbons enfoncés incandescents dans leur crâne. Le Noir se lève et vient s'asseoir à côté de Lottie.

Chacun dans cette compagnie peut s'asseoir où ça lui plaît, dit-il en se serrant contre elle.

Le fusil d'Axel est par terre, enroulé dans son poncho. Il le ramasse et le charge posément. Quatre hommes se lèvent et s'écartent.

Tu veux me tirer dessus ? dit le Noir.

Si t'enlèves pas ton cul, je t'envoie au cimetière.

Le Noir s'écarte légèrement de Lottie. Lottie l'observe sans rien dire. Il met sa pipe dans sa bouche, ramasse le tapis de selle et le plie sous son bras.

C'est ton dernier mot à toi aussi ?

Oui, dit Lottie.

Le Noir regarde de nouveau Lottie de l'autre côté des flammes puis il s'éloigne dans l'obscurité. Axel désarme le fusil et le repose par terre devant lui. Deux hommes sont revenus près du feu mais ils restent debout, mal à l'aise. Axel est assis, les jambes croisées. Il a un mince cigarillo entre les doigts. Mais quand le Noir a surgi de la pénombre avec son couteau tenu à deux mains comme un instrument de cérémonie, Axel s'est redressé presque sans surprise.

Axel attrape une machette, le Noir fait un pas en avant, brandissant son couteau, Axel lève la machette et lui tranche la tête d'un seul coup. Deux épais cordons de sang s'élèvent comme des serpents et retombent dans le feu en sifflant. La tête roule. Lottie recule. Il n'y a plus que le faible glougloutement du cou frémissant et tout est fini. Le reste de l'homme est tombé à genoux, trempé de sang.

À l'aube, quand ils reprennent la route, le Noir sans tête est agenouillé à la même place comme une espèce de bigot.

Pas d'eau dans les *llanos*. En descendant vers le sud, seulement la sécheresse, entrecoupée parfois de véritables cataractes. L'eau de pluie remplit alors pour quelques semaines les mares boueuses. Puis retour de la sécheresse, les crocodiles meurent d'inanition, les *peones llaneros* filtrent l'eau sale des flaques au travers d'un linge. Parfois les chevaux altérés les conduisent vers de petits étangs. On s'y baignerait volontiers pour se débarrasser de la poussière mais ils sont infestés de crocodiles verdâtres. Axel y déniche un gigantesque fémur provenant d'une bête depuis longtemps disparue, qu'il s'applique à mesurer, assis par terre les jambes écartées, et à dessiner dans son carnet.

Dans les étangs vivent des gymnotes, ce sont des anguilles qui ont deux mètres de long et fonctionnent un peu comme des bouteilles de Leyde, envoyant des décharges électriques à leur proie. Axel est stupéfait. Il va passer des jours entiers à observer les gymnotes, à tenter de les attraper à la main, quand ils frétillent dans son filet. Mais impossible. La châtaigne te cloue au fond de ta barcasse.

C'est bon à manger, les gymnotes, disent les *peones*.

Pour les attraper, ils font entrer un cheval dans l'eau. C'est cruel pour cette bête. Une longue torture. Les gymnotes se ruent sur le cheval et ils vident leurs accus contre lui, ils le rouent de coups de jus, ils le bardent d'étincelles. Ruades furieuses, tempête de vaguelettes au bord de l'étang. Et puis les *peones* ramènent leur cheval fourbu sur la rive.

Maintenant les anguilles sont vides, il n'y a plus de poudre dans leurs canons, tu peux les attraper avec tes mains.

Et c'est vrai, Axel étudiera le phénomène, les anguilles ont besoin d'une nuit pour se recharger en fluide électrique. Il essaiera d'apprivoiser un gymnote en parfait état de marche, qu'il puisse le toucher sans que l'autre lui balance sa décharge. Il paraît que ça s'est fait. Inutile de dire que les gymnotes, leurs déflagrations, leur chair ardente, rappelèrent à Axel quelques épisodes anciens et eux aussi déchirants. Aussitôt sa vieille plaie à l'épaule se remit à suppurer, à lancer. Comme si rien ne s'était jamais refermé. Comme si le passé refusait de cicatriser, Reinhard nageant avec les crocodiles depuis le début des temps.

Un serpent d'eau trame sa route, son menton lisse posé à plat sur l'eau.

J'ai horreur de ces trucs-là, dit Lottie.

Il ne te fera pas de mal.

Tu parles…

Ils ne mordent pas, je t'assure, ils ne sont pas venimeux de toute façon.

Elle observe le serpent, l'extrémité du pouce entre les dents.

Attends on va l'attraper et je te montrerai, dit Axel.

Lottie recule. Penchée sur l'eau, elle rit, excitée, hors d'haleine. Axel peut voir à l'intérieur de sa robe jusqu'à son ventre.

N'approche pas de ce truc, je t'en prie !

La barque tangue. Lottie s'appuie d'une main sur l'épaule d'Axel, elle touche le plat-bord et se rassied, avec un sourire timide. Odeur de savon et de sueur, le corps de Lottie soyeux et nu sous la robe qui effleure Axel. Des coquillages dégoulinants, des moules peut-être, se balancent contre la coque en s'entrechoquant comme des castagnettes. Ils cherchent le serpent des yeux quelque part sur la berge mais il a disparu. Le soleil est tiède dans le dos d'Axel.

Tu lui as fait peur, dit-il. Tiens, le revoilà, il grimpe carrément le long de la barque, je me doutais qu'il essaierait de nous couler.

Lottie pousse un cri et se redresse, les mains sur la bouche. Axel agite et chahute la barque.

Il est en train de monter après la rame, dit-il.

Lottie scrute l'eau. Évidemment il n'y a rien.

Arrête ça, dit-elle.

Promis.

Ils déjeunent sur un tertre herbu, de galettes de maïs avec du pécari et de l'ananas. Lottie replie ses pieds nus sous elle et dispose les provisions sur un linge blanc. Axel allume le feu. Lottie lève brièvement les yeux et sourit. Il pose une souche dans les flammes. De brûlantes étincelles montent et dérivent dans le vent.

Après manger, Axel s'allonge dans l'herbe, les mains sous la tête. Un banc de nuages barre l'est, devient mauve et jaune et le soleil entame une nouvelle percée. Il est ému par le profond silence. Il ferme les yeux. Il aurait peine à dire où se termine son être, où commence le monde, ni même si cela lui importe. Il reste allongé le dos sur le rocher, le centre de la terre aspirant ses os, vertige étourdissant d'un moment, avec l'illusion de tomber dans l'espace bleu et venté, au verso de la planète, de s'élancer à travers le mince cirrus là-haut.

Viens, dit Lottie.

Axel pose la tête sur les genoux de Lottie et demeure immobile à regarder le ciel clair. D'un geste répété il lui mord légèrement les mèches de cheveux qui pendent vers lui. Le vent qui monte de la savane se fait plus violent.

Tu sais, dit Lottie, et sa voix paraît irréelle comme il arrive aux voix quand elles viennent rompre un silence absolu, le ciel est vraiment étrange ici. J'ai souvent l'impression, quand je le regarde, que c'est un bouclier solide qui nous protège de ce qu'il y a derrière.

De ce qu'il y a derrière ?

Oui.

Mais qu'est-ce qu'il y a derrière ?

Rien, j'imagine. Rien que du noir. La nuit absolue.

Tu vois, dit Axel avec chaleur, je crois que nous avons tous les deux peur de la même chose. Et pour la même raison. Nous n'avons jamais trouvé le moyen, ni toi ni moi, de pénétrer vraiment dans l'existence. Nous avons beau faire, nous nous tenons en équilibre, à la surface, et nous sommes convaincus que la prochaine secousse nous jettera dehors. Ce n'est pas vrai ?

Lottie remonte de l'étang avec la cafetière dégoulinante d'eau et la pose sur les pierres. Axel lui décoche un long regard en coin, elle a posé la cafetière avec un air étudié de ménagère qui dans ce décor barbare fait sourire Axel. Elle vient s'asseoir à côté de lui. Axel entend Lottie respirer à ses côtés, ses seins montent et descendent. Elle a remonté ses genoux et noué ses bras autour. Ses cuisses luisent dans la clarté des flammes. D'incroyables surfaces de chair nue dans la lumière du feu. Elle en semble à peine consciente. Axel se penche vers elle, prend son visage dans ses mains et l'embrasse sur le front.

Elle ouvre la bouche. Elle tend le visage vers lui. Haleine d'enfance, odeur de fruit cru. Axel se détourne. Et une minute plus tard il est en train de faire réagir dans une éprouvette les tendres tissus végétaux d'une orchidée avec un acide, et il lui dit : Ne me fais pas bouger, s'il te plaît.

Dans la soirée, elle insiste, elle se penche sur lui, près du feu, pose un baiser sur sa nuque. Mais il est en train d'écrire à Willdenow à propos d'un baromètre déréglé, et ne se laisse pas distraire pour si peu.

La correspondance, avec la distance et les incertitudes de la poste restante, est précaire. Et pourtant, les premières semaines, Axel attendait toujours une lettre de Reinhard, comme si une telle chose était possible, comme si le fait de s'éloigner de milliers de kilomètres allait les rapprocher.

Il y a assez souvent une lettre de son frère. Il ne l'ouvre pas, met la lettre de côté, garde les pieds posés sur un morceau de bois, près du feu, cette fois il a mis des chaussettes, car il fait froid. Un peu plus loin, un veau, le mufle à ras de terre, le regarde d'un air obtus.

Brouter, ruminer, crever, murmure Axel.

Bien sûr son cœur est resté à Berlin, où il y a Reinhard, mais on vit très bien sans cœur, comme avec un crochet au lieu d'une main, ou encore une jambe de bois, il suffit de faire un peu d'exercice et au bout de quelque temps on se met de nouveau en selle sans difficulté, seulement c'est difficile à expliquer.

Axel lève les yeux, dans le ciel passe un gros nuage épais, il lui semble que son corps flotte là-haut et s'en va pour son propre compte.

Lottie vient le trouver cette nuit-là. Il dort dans son hamac, le contact de ses mains posées sur lui et son haleine tiède le réveillent. Mais il la renvoie. Elle revient juste avant la fin de la nuit et il la renvoie encore.

Sur son lit de camp, elle cambre le dos, elle se masturbe. La sensation est nouvelle. Crue. Il y a même ce petit halètement qu'elle n'avait pas souvent réussi à provoquer en elle. Elle dort jusqu'au matin, d'un sommeil calme et sans rêve. Quand elle se réveille, la circulation du sang est normale dans son ventre et dans ses jambes.

Je me suis débarrassée des caillots de désir, pense-t-elle.

Maintenant dans l'immense savane les arbres se raréfient jusqu'à disparaître tout à fait. Deux éperviers noirs tournoient lentement autour du soleil. L'herbe jaune et luisante ondoie à perte de vue. Le vent remue des vagues d'herbe que le cheval, pas après pas, écartera du poitrail. Il y a quelque chose d'imposant mais de triste et de lugubre dans le spectacle uniforme de la savane. Le sombrero rejeté sur le cou et la machette hors de son fourreau de cuir à longues franges, on foule des graminées jaunes qui vous grimpent à mi-cuisses et on avance laborieusement dans ce courant d'herbe infini qui rappelle sans cesse, et pendant des voyages de vingt à trente jours, le delta d'un fleuve immense. Ensuite, presque sans transition, d'épaisses forêts nourrissent une rivière tellement acide qu'on a été forcé de la nommer rio Vinagre. Armé d'alambics, Axel en fera la première analyse chimique : oxyde de fer, acide sulfurique et acide muriatique. La ville de Popayan est située dans une vallée fertile, mais on dirait une ville fantôme, ses habitants ayant préféré tenter leur chance dans les collines, en quête d'or, dans l'espoir d'un énorme pactole d'un coup, du jour au lendemain, plutôt que travailler la terre toute leur vie.

Et puis des rivières.

Des rivières chocolat, qui consomment beaucoup de terre en passant, elles arrachent les berges, une infusion de terre, à boire et à manger, à certains endroits elles sont tout à fait des cacaos bouillonnants et on peut suivre cette ébullition à cheval durant des jours sans trouver aucun pont de liane. On est en selle, sans manger ni boire, les jambes secouées de contractures, les mollets à détendre lentement le soir, au bivouac, il faut alors réapprendre à marcher.

Ces Indiens sont rudes, impitoyables, des compagnons merveilleux tout de même, d'abord parce qu'ils sifflent tout le temps, ils ne perdent pas leur temps en vaines paroles, on les entend siffler au loin ; ensuite parce qu'il y a toujours quelque chose à manger, enveloppé dans de grandes feuilles humides : de la purée de pomme, des œufs, des piments, et du rôti de pécari, dont les cuissots et les filets rôtissent à feu doux dans leur peau et fument, tandis que la graisse coule dans la flamme.

Sur les rives du rio Oricuto, qu'on traverse sur un pont sommaire, les alligators digèrent en surveillant, mine de rien, les chasseurs de diamants qui lavent tout au long du jour la caillasse, les sables, la boue. Laver les pierres, les extraire, les charrier, les mettre en tas sous un soleil de feu est un travail de damnés. Et la nuit, des vampires d'un mètre d'envergure agitent l'air de leur vol mou au-dessus des têtes des dormeurs.

Lottie dort comme un loir quand une chose noire s'élève dans un froissement et vient se percher sur sa poitrine. Les ailes de cuir se replient. Les minces phalanges se crispent sur la veste de daim. Le petit visage est creusé de rides, et les dents bleu pâle scintillent à la lueur des étoiles. La bête se penche sur Lottie. Elle taille dans son cou un étroit sillon et commence à boire son sang. Lottie se réveille, pousse un cri aigu, la chauve-souris agite ses ailes comme un fouet. Elle est absolument furax. Elle refuse de s'envoler. Elle se plante là, se rassied sur le ventre de sa proie et fait claquer ses dents. Axel debout brandit une pierre. La chauve-souris s'élance et disparaît dans le noir.

Elle avait soif, hein ? dit Axel.

Lottie ne répond pas. Elle tapote doucement son cou. Elle ne sent plus rien. Par quelque baveuse anesthésie, la plaie n'est pas douloureuse du tout. Mais ça continue à saigner. Et ça saignera encore toute la journée. Anémiée et soûle, Lottie somnole déjà.

Quand la nuit reviendra il faudra te cacher pour dormir, dit Chico. Et défense de bouger jusqu'au matin. Si un vampire te mord, il te reconnaît entre tous, et c'est ton sang qu'il veut.

Cette nuit-là les cavaliers bivouaquent dans les ruines d'une ancienne civilisation, au cœur d'une vallée parsemée de débris de poteries. Pendant qu'un chevreau rôtit sur la broche, ils jettent dans le feu des bouts de bois secs qu'ils arrachent aux squelettes d'arbres tordus par le vent. Et comme il y a tout près d'eux un squelette d'homme dévoré jusqu'à l'os, la cage thoracique s'ouvrant vers le ciel, ils se racontent des histoires de fantômes d'un autre temps. La nuit est claire et froide. Lottie s'est couchée en chien de fusil sous une pièce de peau qui sent le moisi et l'urine. Soudain le froissement d'ailes qu'on attendait, et immédiatement un coup de feu.

Axel a tué le vampire. Il lui a fracassé la mâchoire. Il n'aurait pu être de meilleure humeur. Pour faire un talisman, il n'y a qu'à ramasser les dents pointues qui ont giclé de sa gueule.

Encore une lettre à Wilhelm dans laquelle, à longs jets enfantins, Axel se vante : J'habite une cabane de feuilles de palmier. Un jaguar égorge nos mulets. Le vent est si fort qu'il rend les chevaux fous. Grand butin chaque jour : les singes dans les branches, les serpents, les aras bleus, les papillons gros comme des chats. La nuit, vol des vampires, et deux ou trois cents araignées velues avec des abdomens de rat qu'on pourfend à la machette à deux mains, des coups à fendre la tête d'un grenadier, une tuerie. Hier j'ai eu un singe, d'une seule balle en pleine poitrine. Il a poussé un cri épouvantable et douloureux de femme. J'étais très gêné par son regard. Je viens de recopier pour toi d'antiques pictogrammes vus sur un rocher, des gravures d'animaux et de lunes, avec ces hiéroglyphes qui ne devraient pas te résister longtemps…

XV

En gros, l'Amérique du Sud se compose de trois régions immenses et terriblement monotones : la forêt vierge, la cordillère des Andes et les pampas. La cordillère des Andes mesure le continent d'un bout à l'autre, la pampa des vaches couvre des milliers et des milliers de kilomètres herbus ; la forêt domine tout le reste. On peut remonter six mille kilomètres de fleuve et traverser des contrées immenses sans sortir de la forêt, c'est absolument la même canopée, indéfiniment, et c'est absolument la même pluie, d'un bout à l'autre.

Des jours entiers dans la pluie, puis dans la pluie et la grêle, et encore dans la pluie. Le ciel est gris, gris clair, très alerte et même lumineux, mais pour pleuvoir, il pleut. Il suffit de constater la santé exubérante des cannes à sucre, qui adorent l'humide, pour comprendre qu'il en est tombé, de l'eau.

Par une mystérieuse osmose, les visages et les corps se gonflent d'humidité. Les joues de Lottie semblent avoir été bouillies. Dans ce climat le pain n'est pas plus valeureux que les hommes. Alors on mange des galettes, dures, archicuites, insensibles à la pluie, et des piments qui tuent tous les autres goûts, y compris celui de flotte.

Un peu plus loin, on s'embarque sur l'Orénoque, à bord d'une grande pirogue. La route n'est plus qu'une tranchée profonde entre deux murs de jungle verte que le vol rectiligne des perruches coupe comme des traits d'arbalète. Les rives sont un enfer impénétrable, où les colons, les chercheurs d'or et de diamant, les coupeurs de bois et autres aventuriers somnolents, passent le plus clair de l'existence à rêvasser dans leur hamac ou à boire des bières tièdes dans la croupissante torpeur. Le fleuve demeure, comme au temps de la conquête, une terre de fable. Sir Walter Raleigh, l'aventureux favori d'Elizabeth d'Angleterre, première du nom, avait tenté de le remonter, pour gagner à sa reine les trésors de l'Eldorado. Mais il n'avait rapporté jusqu'à Londres que la légende des hommes sans tête, et la nostalgie d'une inaccessible capitale aux rues de marbre et aux toits d'argent…

Une pirogue est un long tube creux, taillé au fer et au feu, et censé préserver de l'eau. Calés sous un toit de feuilles et de toile blanche, cercueil à trente-huit degrés de chaleur, un médecin français et le préfet du Choco, subdivision de la province du Chauca, ont pris place aux côtés des Prussiens.

Le préfet est un homme jeune, grand, osseux, jaune de peau, dont les cheveux de jais bouclés au petit fer soulignent l'aspect juvénile. Il sort de la faculté de droit de Madrid, il a tout juste vingt-cinq ans, ne parle à personne, n'admire rien, et se borne à jeter au dieu du fleuve sa carte de visite, qui tournoiera longuement dans les remous.

Quel malheur que ce soit Colomb qui ait découvert l'Amérique, dit soudain le Français. Maintenant on est obligé de se farcir des tas d'Espagnols arrogants.

C'est toujours mieux que des Anglais ! remarque Axel.

La conversation, qui promettait pourtant, est subitement interrompue par un orage épouvantable, *qui enflamme la voûte céleste,* déclare le Français. Il s'appelle Victor et soigne une inattendue petite moustache rousse. Il est grand et très sentimental d'allure, en dépit de la martiale machette qui tire vers le sol la ceinture de son pantalon. Il sort soudain de son sac une bouteille comme on n'en a pas vu depuis longtemps, et ils boivent tous ensemble un verre de cognac véritable, à la santé de l'Orénoque et de ses féroces Jivaros.

Parfois le fleuve prend des allures de lac, de mer intérieure. Une plaine immense, entièrement submergée. Des forêts entières sous l'eau. Des îles touffues à la dérive.

Ne touchez pas aux troncs d'arbre, hurle soudain Victor.

Les troncs d'arbre qui flottent sur le fleuve sont encore plus dangereux que n'importe quoi de terrestre. Ce sont des îles venimeuses, une sorte de mélange d'épines et de myriades de fourmis de toutes sortes, accompagnées de guêpes, d'araignées et de cent mille autres espèces d'insectes qui vous sautent sur la tête et dans le cou, et qui grattent et piquent et mordent.

Un peu plus loin, les Indiens amarrent la pirogue au pied d'un grand palmier. Ils l'attaquent à la machette. Il faudra plus d'une demi-heure pour l'abattre. Ils reviennent avec un énorme morceau de chair blanche, luisante. C'est le cœur du palmier. Ils en mangent tous goulûment puis repartent.

Des champs de riz sauvage nourrissent des millions d'oiseaux. Des canards, des oies, des cygnes d'une grosseur insoupçonnée se querellent. Les Indiens pagaient en cadence. Ils ont de gros yeux ronds, à fleur de visage, tout prêts à happer l'autre regard qui s'aventure. Ils sont bien vivants, bien ambrés, bien nus, de beaux athlètes avec un nez assis, des lèvres bleues, crues, et marchant toujours en dansant de plaisir, quelle que soit la charge. Et beaux nageurs bien sûr et musiciens des jours de fête.

Sous la toile il règne une intense chaleur, aggravée par le tourment des moustiques qu'on essaie de chasser avec la fumée d'un feu de bois vert allumé à même la pirogue. Des champignons à toute vitesse se déploient entre les orteils et sous les ongles. La pirogue remonte le fleuve au milieu des sifflements policiers des perroquets et des rires de grands singes noirs. Le souffle rauque des lamantins jaillit autour des explorateurs.

Je vois que vous ne connaissez pas encore l'Orénoque, dit soudain le Français. Vos jambes sont saines, votre peau est encore bien nette. Mais vous verrez, après quelques jours ça va être votre fête. Ça démangera. D'abord des points rouges. Ensuite vous ne serez plus qu'une plaie, avec des cratères purulents jusqu'aux genoux... Et des moustiques minuscules qui se planqueront par centaines entre les cils... Et dans l'eau un poisson pas plus gros qu'un fil de laine, transparent et gélatineux, qui va chercher à vous pénétrer, cette saloperie repère en un clin d'œil un orifice naturel et finit par y déployer un dard qui vous déchire en hémorragies. Et les piranhas, bien sûr, pas plus gros que des sardines, grouillants comme elles, mais voraces et puissants, qui vous emportent le doigt d'un coup, vrais poissons de cauchemar à ne prendre par aucun bout, il suffit de laisser tomber deux ou trois gouttes de sang dans l'eau : en un instant, la meute argentée, frétillante, remontera des profondeurs du fleuve. Dix minutes pour la toilette complète d'un homme adulte. D'ailleurs on n'a jamais retiré un cadavre de l'Amazone, conclut Victor.

Quelques heures plus tard, Axel reconnaît le regard de son père mourant dans celui d'un tapir à moitié englouti par un anaconda gigantesque : un regard d'angoisse sans espoir. La mort est en train de le bouffer tout vif.

Victor rentre du Mexique avec des salamandres dans un bocal et l'envie de voir se reproduire dans l'Orénoque ces créatures inouïes. L'axolotl est une bestiole à l'aspect quasi fœtal, un embryon de salamandre pour ainsi dire. Sa peau est opalescente, veinée de bleu et de rose autour des branchies, ses doigts en fleur de lys. Le Français en a déjà semé une bonne dizaine dans le sillage de la pirogue.

Hasta la vista!

Des œufs blancs de tortues brillent sous les arbres. Des lézards s'accrochent à la coque. Les insectes surgissent des arbres, du ciel et de l'eau. Ils arrivent de toutes parts, ils remplissent l'air de leurs bourdonnements, ils piquent, sucent, et pour chaque moustique tué il en vient des centaines d'autres. Les visages saignent sans arrêt. Lottie a enroulé un linge en écharpe sur sa bouche mais les moustiques la piquent à travers.

Au ciel, les singes hurlent. Dans la canopée une harpie bouffe un ara. Dans le fleuve, des dauphins roses se paient un festin de piranhas.

Où sommes-nous ? demande le préfet, vert de peur.

Dans un blanc de la carte, dit Lottie.

Le préfet imagine déjà que les Jivaros les cernent, silencieux et hostiles, leurs arcs déjà bandés, dans l'encoche une flèche frottée au curare.

C'est vrai, les Jivaros traversent parfois le fleuve à la nage pour attaquer les pirogues. Lottie serre contre elle sa machette.

S'ils viennent, les Jivaros, qu'est-ce qu'on fait, demande-t-elle.

C'est simple, fait Axel, une balle pour toi, une balle pour moi.

Ensuite il faut franchir des cataractes, ce qui oblige les rameurs à des manœuvres périlleuses corrigées par des efforts surhumains, et parfois il vaut mieux carrément débarquer et haler la pirogue à dos d'hommes, sinon tout chavire, les armes, les caisses, les instruments.

On écope, hurle soudain Axel. Les rameurs se mettent au travail avec des pots, des calebasses et des gobelets. En quelques minutes la pirogue est de nouveau d'aplomb. Mais des feuilles de papier, des plantes séchées, des plumes pour écrire et les œuvres complètes de Jussieu flottent sur le fleuve.

Un peu plus haut, quand le préfet les quitte pour poursuivre son voyage à dos de mulet, le grand fleuve est large de près de quatre kilomètres et couvert, comme un lac, de petites vagues qui blanchissent sous le vent. En dépit de l'ampleur de son lit, il conserve un assez fort débit, et la pirogue, dont on a hissé la voile, n'avance que très lentement, à contre-courant. On rencontre de loin en loin les embarcations de trafiquants créoles ou espagnols, et quelques missionnaires qui se sont établis en amont, avant les cataractes, point au-delà duquel la civilisation, même sous ses formes les plus contestables – par exemple l'évangélisation des indigènes – n'a poussé que quelques petites pointes isolées.

Dans l'une de ces missions, on arrivera juste à temps pour faire soigner ses ulcères infectés aux jambes.

Je n'arrive pas à croire que vous ayez quitté votre patrie pour venir vous faire manger ici par les moustiques et mesurer des terres qui ne vous appartiennent pas, s'étonnera le chef de la mission, qui est recuit par la transpiration et aussi un peu ratatiné par la jaunisse. Il porte des bottines à boutons. Une barbe de treize ans pend sur sa soutane qui lui sert à tout, de hamac et de torchon, d'étal et de nappe. De multiples poches, cousues dedans et dehors, et même le long des jambes, contiennent des cigares en quantité.

Je suis le père Baldomero. Je ne sais plus à quoi je sers.

Son ricanement s'achève en toux rauque de fumeur.

Vous avez perdu la foi ? demande Lottie.

Dieu seul le sait !

Le missionnaire recommence à s'expliquer avec ses bronches. Mais dès que la toux a cédé, il rallume un de ces infects petits cigares qui matelassent sa soutane.

Baldomero règne en maître sur un petit peuple d'Indiens ahuris et dociles, coiffés à la façon des moines, avec leur frange de cheveux coupés droit sur le front. Au moindre début de psaume, ils se dirigent en colonne vers des baraquements qui fument dans la chaleur de midi. Le missionnaire parle de vacciner cette troupe. Contre quoi ? Il n'en sait rien. Du reste il ne s'en soucie pas. Et puisque de petits curés lépreux et éléphantiasiques violent à couilles rabattues, s'il meurt un Indien, il en reviendra aussitôt deux ou trois de plus, avec un sourire merveilleux et de belles et bonnes dents. Ainsi servons-nous Dieu !

Les jours qui suivent, Axel fait de longues balades avec un jeune capucin fragile, au visage mystique, le visage de qui est vraiment en quête d'un trésor ou d'un pèlerinage vers une croix lointaine. Il a charrié jusque dans cette solitude les trois tomes de la traduction espagnole de la *Chimie* de Chaptal. Ça réchauffe le cœur d'Axel. Le petit capucin chimiste le suit partout, il est évident que quelque chose en lui sent et sait qu'il a affaire à un type qui, quelques années auparavant, se débauchait à mort. Un capucin de vingt ans, seul dans la jungle, sent cela. Lottie le déteste, elle sent le danger, elle voit bien que ce gosse est dans l'attente d'un événement qui ne s'est encore jamais produit.

Le cul profane a aussi ses raisons. Et dans cette discipline, les hommes libres se croient tout permis. Tout comme Pablo sur la plage des Canaries, Victor, le mâle français, s'offusque que la Prussienne soit laissée en friche, et il va tenter à son tour la chance de labourer ce champ. Il lui fait sa cour comme un animal. Pesant, sûr de son droit, de son choix, il tresse un joli langage très fleuri, truffé d'allusions et d'images exclusivement consacrées à la pénétration du pénis dans le vagin. Ces gracieuses litanies érotiques font très bien passer le temps.

Penser ainsi sans cesse à l'amour au milieu des moustiques est vraiment la marque d'un naturel heureux, remarque Lottie.

Elle est assise à l'avant de la pirogue, le pantalon retroussé, les pieds nus pendant au-dessus du fleuve.

Venez, murmure Victor. Je dois repartir demain pour le Mexique.

Non, je n'en ai pas envie.

Vous n'avez jamais envie de rien. Vous avez déjà aimé quelqu'un ?

L'amour, quand il vous quitte, c'est comme si on avait enlevé un meuble ou une armoire à glaces et on se retrouve face à un immense mur nu, dit Lottie.

Ils restent assis là à regarder les orteils de Lottie planant au-dessus de l'eau.

C'est par un jour de vent du sud, brûlant, desséchant. Le ciel est plein de nuages ébouriffés. Il en tombe une fine poussière jaune qui se dépose partout, pique les yeux, tue les mouches. Il fait une chaleur suffocante. Tout le corps démange. De petites éruptions blanches crèvent sous la peau. Des éclairs de chaleur font blêmir les ananas.

Il lui prend brusquement la mâchoire dans la paume de la main et relève son visage et la fixe au fond des yeux. Quand Lottie essaie de se dégager doucement, Victor plonge la main dans ses cheveux et les tire d'un coup en arrière. Elle lève les yeux au ciel. Sa gorge pâle offerte. La pulsation du sang bien visible dans les artères épaisses de chaque côté du cou et le léger battement convulsif à la commissure des lèvres. Il lui dit de le regarder et elle le regarde mais elle semble posséder le pouvoir d'opacifier ses sombres yeux. Regard aveugle. Victor tire plus fort sur sa chevelure et la peau lisse se tend sur les pommettes de Lottie et ses yeux s'élargissent.

Regarde-moi, je te dis.

Tu me fais mal.

Le temps qu'il se glisse a côté d'elle, elle a poussé un cri, et elle est devenue rigide. Il pose la main sur elle et la sent arc-boutée et tremblante sous sa paume, tendue comme une peau de tambour. Il sent le tremblement dont elle est secouée, qui est comme le murmure d'un courant électrique lui passant à travers les os.

Qu'est-ce qui t'arrive ?

J'ai peur.

Du point de vue de la vie sexuelle, on ne peut pas dire que c'est une femme complète, elle est froide, elle n'est pas normale de ce point de vue, pense Victor. Elle est infiniment lointaine, un être auquel il ne faut pas toucher.

Les Indiens ont un remède pour tout, dit Victor.

Je ne suis pas malade.

La guérisseuse a de longs cheveux noirs et rudes. Elle fait entrer Lottie dans sa hutte. Des feuilles de tabac macèrent dans une cuvette. La hutte n'a ni porte ni lucarne, la porte est fermée et il fait nuit noire là-dedans. La guérisseuse se met à invoquer les esprits et on les entend marteler le sol de la hutte dans un boucan assourdissant. Les cheveux de Lottie se soulèvent dans le tourbillon qu'ils créent en volant tout près de son visage.

Je sens le bruissement de leurs ailes, dit Lottie.

Maintenant les esprits lèchent l'offrande de feuilles de tabac.

J'entends un chien qui lape, dit Lottie, saisie d'épouvante.

Son ventre, un bloc de granit. Mais ce bloc est vivant, plein de richesses comme une corne d'abondance. Il est bruissant comme une ruche et creux comme un coquillage ardent. En tout cas la guérisseuse plonge les doigts dans ce sexe inépuisable. Elle souffle sur de petites flammes bleues. Ses mains insensibles à la chaleur. Rapide et sûre dans ses mouvements, elle crache à travers un anneau en os et mélange avec le doigt dans une coupelle une pâte de quelque chose de sinistre. Elle se penche pour en enduire les paupières de Lottie. Puis elle reprend la coupelle et prélève encore un doigt de ce mélange qu'elle avance vers les lèvres de Lottie.

Ouvre.

Ouvre la bouche.

C'est chaud, murmure Lottie.

Elle obéit. La guérisseuse lui fourre le doigt au fond de la gorge et l'essuie contre son palais. Une humeur gluante, sans goût, criblée de petits grains durs. Lottie l'avale.

Ce doit être du scorpion, pense-t-elle, mélangé à je ne sais quoi.

Elle a une violente envie de vomir. Son ventre se met à gonfler, elle ne peut plus faire un mouvement, gênée qu'elle est par des ballonnements gros comme un nouveau-né qui la distendent, son ventre devenu chose étrangère qu'elle ne peut déplacer sans remuer un univers de douleurs.

Maintenant Lottie se bat pour pourfendre, transpercer les visions qui montent de toutes parts. Tu es un prodigieux épanouissement, un tourbillon immobile. L'abîme de la lumière. Tu es comme une sonde qui descend à des profondeurs incalculables. Bientôt n'importe quoi l'excite sexuellement : les doigts de la guérisseuse, le flanc de la calebasse, la fumée du tabac qui monte. Les figures les plus simples, le cercle, le carré, et leur projection dans l'espace, le cube, la sphère l'émeuvent, parlent à ses sens comme les symboles grossiers, lingams rouges et bleus, d'obscures, de barbares, de rituelles orgies. Tout lui devient rythme, vie inexplorée. Elle est folle furieuse. Elle ne sait plus ce qu'elle fait. Elle crie. Elle chante. Elle hurle. Elle se roule par terre. Le bloc de granit de son ventre a maintenant un grain doux et tiède.

La cure aura duré six heures.

La vie est revenue dans ton ventre, dit la guérisseuse. Elle montre à Lottie une chenille verte qui se tord dans ses cheveux : Et voici la maladie qui était dans ta tête.

Avec un brandon, elle brûle la chenille.

Lottie sort de la hutte en boitillant.

Grand vertige.

Elle descend vers le fleuve en titubant de bonheur. Le Français lui adresse un signe de la main. Elle lui sourit, ensorcelée, les bottes bien ancrées dans le limon, trop éblouie pour oser faire un pas de plus.

Et maintenant, je suis une femme à votre goût ? lui crie-t-elle brusquement, mettant ses mains en porte-voix.

Victor porte une lourde pétoire à la ceinture. Il a tué un tatou pour le disséquer. Le fleuve est en crue. Une troupe de cacatoès à huppe rose tournoie au-dessus de leur tête, le dessous de leurs ailes a la couleur des roses sauvages. Les poissons viennent vous manger dans la main. Victor prépare un feu. La chair rose du poisson prend une couleur de fumée. Victor donne la becquée à Lottie. Ils s'amusent. Ils n'ont rien à se dire mais ils savent s'amuser avec leur sourire, avec leurs doigts.

Un fabuleux champignon d'orage monte sur le Venezuela et s'étend jusqu'au Brésil.

Victor craint que tout ceci – la nudité, l'intimité – ne mette Lottie mal à l'aise, alors il se dépêche, il s'empresse de s'agenouiller et de la gamahucher, revenant ainsi aux recettes éprouvées. Mais il ne peut résister à l'envie d'y ajouter un raffinement. Il lèche l'intérieur des cuisses de Lottie et celle-ci sursaute, de même qu'un peu plus tard quand la langue de Victor explore son nombril.

Curieux que son sexe soit apparemment la partie la moins sensible de son corps, pense-t-il.

Quand arrive le moment de la pénétrer, Victor pense que cette fois fera une différence, et effectivement pour la première fois Lottie soupire au moment où il jouit.

Victor dit : Tu aimes ?

Lottie acquiesce vigoureusement et sourit.

Une vraie intimité est née entre eux, collés qu'ils sont l'un contre l'autre, nus et couverts de sueur. Quand Victor se redresse et se lève pour aller chercher de l'eau, Lottie est surprise qu'un corps si simple, si dénué de majesté, tout l'opposé d'Axel, provoque tant d'émotion en elle. Quand il vient se rasseoir contre elle, Lottie pose la tête sur la poitrine de Victor. La main de Victor caresse maladroitement ses cheveux. Lottie sent l'odeur forte de l'aisselle du garçon, l'odeur franche d'un jeune type qui vient de faire l'amour dans la jungle. Elle éclate de rire.

De leurs étreintes émane une espèce de chaleur, qui se surajoute à celle de la jungle. Le goût de la chair se répand sur les lèvres, les poils luisent de sueur, s'entremêlent. Victor se rallonge, épuisé, près de Lottie endormie dont la profonde respiration est encore brusque, inégale et troublée. Elle est toute rose. Dans l'agonie, dans le désespoir des dernières minutes d'amour, quand il était devenu évident qu'elle risquait, qu'elle risquait fort de ne pas atteindre l'orgasme que son corps réclamait avec une telle violence, elle l'avait supplié, gémissant son nom, grognant presque, ne sachant plus ce qu'elle disait, ne contrôlant plus les grossièretés qui s'échappaient de sa bouche. Elle l'avait supplié. Cette vierge féroce, cette nageuse, large d'épaules, avec sa magnifique tête aux cheveux épais, cette fille détachée, arrogante, avait supplié Victor. Alors ils ont recommencé et cette fois elle a joui.

Comment se fait-il qu'elle soit transformée à ce point ? Il se dit : Est-ce moi, Victor, qui l'ai transformée ?

L'étrange figure immobile, belle avec ses fesses blanches et ses tresses de longs cheveux mais terrible aussi, comme une bête achevée à même le sol, cette figure semblait lui appartenir comme s'il l'avait créée.

Un matin, Axel aperçoit un jaguar étendu sur l'autre rive du fleuve. Il contemple la bête sauvage qui n'a nulle intention de fuir. Le jaguar se lèche langoureusement, sans tenir compte de sa présence. Bonheur d'Axel au premier rugissement, ou plutôt au long, long hurlement de joie lancé par le jaguar. Puis cela se tait. Mais cette joie enchante le cœur d'Axel. Il est en fête, l'âme grande ouverte, parcourue de lumières et de sons qui tous célèbrent ce qui vient d'exploser comme un cri de joie par la gueule de cette créature.

Sa venue est un présage, pense Axel. Un présage de grand bonheur violent.

En fait de bonheur, il surprend Lottie et le Français combinés en un seul être singulier, à moitié dévêtus, hérissés d'une unique chevelure en bataille. Il n'y a pas assez de lumière dans leur repaire sous une racine pour admirer autre chose que les seins de Lottie, dont les pointes semblent à présent enflammées. Elle s'accroche au Français, ses doigts de fer empoignent son pénis, comme dans le plus lubrique des fantasmes adolescents.

Axel retient son souffle jusqu'à ce qu'il entende un cri aigu leur échapper, sans comprendre à qui en particulier, puis chacun des deux fait jaillir une semence laiteuse, chacun des deux se croit attaqué par une bête douce et perçante. Ils s'écroulent, haletants, leur cœur bat à toute vitesse, leurs corps poisseux de sueur adhèrent l'un à l'autre avec des bruits de ventouse ou de marécage.

Axel est sidéré.

Et alors il voit l'homme, Victor, il a l'impression qu'il est immense, il le voit s'en aller. Quand il n'entend plus le bruit de ses pas il s'approche de Lottie, étendue, le visage rouge. Il croit qu'elle est morte.

Lottie !

Elle le reconnaît, elle gémit : Axel, je t'en prie, ne le dis à personne, ne m'en veux pas.

Même dans sa haine de Victor, Axel éprouve du désir pour Lottie et il flaire l'odeur de la terre sous la racine, l'odeur des substances de l'homme et de la femme. Voilà des années qu'il n'a pas reniflé la substance d'un homme, et celle de la femme lui est presque inconnue. Axel désire Lottie à cet instant. Il l'attrape, il veut prendre à son tour ce que Victor a pris. Elle est encore brûlante et déjà prête : Non, non, pas toi, dit-elle.

Mais Axel la presse contre lui. Il la pénètre, douce et si bien préparée par le Français. Ses cuisses soyeuses, ses mains qui lui labourent les fesses. Ses gémissements de chiot. Et il s'entend grogner lui aussi et il ne peut plus s'arrêter et Lottie ne peut plus s'arrêter de réclamer Axel.

Quand vient le matin, à la lueur argent de l'aube sur le fleuve, revivifiée comme par enchantement par deux hommes, Lottie voit son corps nu, sa peau, ses hanches, sa poitrine. D'un geste à demi conscient, elle effleure les écorchures que deux hommes lui ont faites. Elles sont encore très sensibles et commencent à la démanger. Ses doigts notent, avec un parfait détachement, les fines arêtes de sang coagulé, durcies, sur sa joue droite, sur ses épaules, et même sur son sein droit. Elle goûte l'étrange plaisir de les gratter légèrement, d'un ongle presque érotique. En fait elle éprouve une vraie fierté de trouver dans sa propre chair une texture aussi intéressante et inattendue là où la veille encore il n'y avait qu'un espace rosé et lisse.

Axel a porté Reinhard en lui durant tout le voyage, il l'a porté dans son sang. Et pendant des mois Reinhard s'est tenu tranquille, même s'il lui est arrivé de temps en temps de se mettre en colère et de faire un foin de tous les diables. Mais quand Axel a posé la main sur la partie la plus douce de la cuisse de Lottie, et qu'il a caressé ses seins, très lentement,

Reinhard en lui s'est déchaîné. Le souvenir n'est rien tant qu'on n'a pas touché. C'est quand on a touché qu'on se rend compte que la mémoire, on l'a au bout des doigts, la mémoire des hommes et des femmes qu'on a connus, le reste ne compte pas autant, mais de toucher, alors oui toucher c'est l'enfer. Maintenant Axel sait qu'une partie moelleuse du sein de Lottie, en allant vers l'aisselle, est aussi douce que Reinhard, que le gland de Reinhard, doux comme s'il tenait le membre de Reinhard. Il remarque enfin que certaines parties de l'homme et de la femme se ressemblent beaucoup sous la caresse. Et d'une certaine manière tout ce qu'il avait cru enterré rejaillit cette nuit-là. Naturellement il s'est mis à boire beaucoup de rhum. Peut-être dix fois plus que d'habitude, ce qui n'a fait qu'accroître sa solitude. Et le rhum fait l'effet d'une tornade sur le souvenir dévorant de Reinhard.

Certains amants perdus se comportent exactement comme ces vers de l'Orénoque qui s'attache à vous, à en hurler, et ne lâchent plus jamais prise, et se repaissent des tissus de vos veines et de vos artères, c'est effroyablement douloureux, un déchirement de l'intérieur, à longueur de vie des morsures microscopiques, un poison constant qui vient du dedans.

Reinhard, tu n'es qu'un ver immonde.

XVI

L'après-midi du 10 novembre, l'eau brillante et calme du fleuve se couvre d'immenses écheveaux d'écume. Un grondement s'élève, grandit d'heure en heure, et enfin, après un dernier tournant, le fleuve pile au pied d'un mur d'eau croulante, large de cent mètres et haut de trente. Les chutes.

Des murs mouvants de brouillard, de brume, des nuages tourbillonnants d'embruns montent, masquant le soleil. Si près des chutes, l'air est agité et humide, abrasif comme une fine limaille de fer dans les poumons. Une eau blanche bouillante, écumeuse, fuse à cinq mètres dans les airs. Aucune visibilité ou presquc. Un chaos de cauchemar. Mille tonnes d'eau précipitées là-dedans chaque seconde. L'air gronde, vibre. Le sol tremble sous les pieds. Comme si la terre même commençait à se fendre, à se désintégrer, jusqu'à son centre en fusion. Comme si le temps avait cessé d'être. Qu'il ait explosé. Comme si on s'était approché trop près du cœur furieux, battant, rayonnant, de toute existence.

Je devrais me jeter dans les chutes…

Axel s'essaie, en pensée. Il est déjà dans l'eau, emporté instantanément par un courant tumultueux aussi puissant qu'un typhon, et en quelques secondes son crâne se brise, son cerveau s'anéantit à jamais, comme s'il n'avait jamais été ; en dix courtes secondes son cœur s'est arrêté, comme une montre au mécanisme fracassé. Sa colonne vertébrale est cassée, recassée et cassée encore, comme le bréchet décharné d'une dinde que des chiens se disputent, et son corps est précipité inerte, poupée de chiffon, au pied des rochers, il bondit, retombe et bondit encore parmi les rochers, puis l'eau tumultueuse l'engloutit au milieu de minuscules arcs-en-ciel papillotants – quoique régurgité peu après par les chutes et emporté par le courant un kilomètre plus bas, au-delà des rapides, jusqu'à un tourbillon de l'Orénoque où il disparaît, aspiré au fond et pris au piège centrifuge de l'eau tourbillonnante, jusqu'à ce que le miracle de la putréfaction gonfle le corps de gaz, le fasse remonter à la surface du vortex écumant, et le libère pour les piranhas, un peu plus bas.

Mais après les chutes, la forêt terrifiante a disparu. C'est la liberté. C'est la sortie du cachot noir de chlorophylle. Ils ont acheté des mules dans une mission, les font entrer dans un gué et traversent. L'eau leur arrive au ventre, les mules jettent des regards affolés vers la cataracte qui sort en grondant de la masse noire de la forêt.

Sur l'autre rive, c'est beau, calme. Il pleut un petit crachin d'Europe. Le Brésil est à trois heures de vol de cigogne.

Nous voilà chez moi, dit Axel en avançant à grands pas sous la pluie. On est arrivés.

Moi je n'ai pas l'intention de m'arrêter en si bon chemin, dit Lottie. Et puis tu ne songes pas à rebâtir Regel, j'espère.

Non seulement Axel veut un palais mais il veut un jardin botanique, avec une serre et dans cette serre un dragonnier des Canaries d'au moins mille ans. Il veut ce que veulent les hommes qui ont connu une existence bouleversée, il veut ce qu'on veut quand les forces, occultes ou non, qui vous tenaient la tête sous l'eau ont mystérieusement disparu. Il veut ce que désirent les fugitifs en cavale, les forcenés goûtant la paix de la délivrance, les bienheureux, du jour au lendemain délivrés d'une malédiction. C'est tout cela qu'il veut, et si possible d'un seul coup. Et ce palais avec son jardin botanique attenant et sa serre tropicale, il l'appellera *El Regalo*, le cadeau.

En deux ans on aura une forêt. En trois, on n'y avancera plus qu'à la machette. Sans compter que les arbres, morts ou vivants, transportent avec eux une grande famille. Des orchidées, bien sûr, et plus de cinquante espèces de lianes qui les embrassent à la vie à la mort. On vivra avec des Indiens, ils s'installeront ici avec nous, il y aura des plumes, des bâtons, des colliers, des graines, des odeurs, des arcs de bois et des flèches d'os, des cartes de la forêt piquées de noms comme des papillons bleu foncé, des calebasses à curare, des calebasses à manger et des calebasses à boire. Nos Indiens tisseront de beaux hamacs, et tresseront des paniers et des plateaux de vannerie couverts de dessins avec des signes, des animaux, des hommes, des arabesques, ils danseront et s'orneront de belles couronnes de plumes ; les hommes auront des arcs, des sarbacanes, des casse-têtes magnifiques ; les femmes se tisseront des petits tabliers cache-sexes en verroterie de toutes les couleurs, de la verroterie qui date des premiers Espagnols, et ils construiront avec nous une immense case aux murs de pisé, avec de vraies portes et de vraies fenêtres, et personne ne manquera de rien, ils feront aussi la meilleure pâte de maïs qu'on puisse manger, aussi bonne que du pain de blé.

Axel a ses premières rides et beaucoup moins de cheveux que lors de la traversée sur le *Pizarro*. Un beau jour on s'aperçoit qu'on a sur les jambes une galaxie de cicatrices, et que les bras, les cuisses ne sont plus qu'un vieux raccommodage, avec partout des traces de sutures livides.

Je suis fatigué de marcher, dit Axel. Je suis épuisé, je dois m'arrêter un peu. Mes pieds veulent s'arrêter, mes mains et mes pensées veulent construire une maison. J'en ai assez. Assez vu, assez entendu. J'ai vécu plus que je n'en peux supporter. Je ne veux plus rencontrer personne, je ne veux plus découvrir aucun lieu.

Ils dînent, adossés à un rocher. Le rocher est encore brûlant de soleil. Axel appuie son dos contre la pierre. Il enfonce sa nuque dans une fente et ferme les yeux.

Je suis resté sur la route trop longtemps, conclut-il.

Qu'est-ce que tu fais, dit Lottie. Elle regarde tout autour. Axel a un pinceau à la main et ses mains sont bleues.

Entre.

Lottie entre. Elle sort un cigarillo de sa poche et l'allume. Elle va dans l'autre pièce et revient. Les murs en brique d'adobe ont été blanchis à la chaux et l'intérieur de la maison est clair, d'une austérité monacale. Le sol d'argile a été balayé et rincé et Axel l'a tassé avec une dame improvisée faite d'un poteau de clôture avec une planche clouée au bout.

Cette bicoque n'a pas l'air trop mal.

Je ne refuserais pas un coup de main, dit Axel.

Je comprends ça, dit Lottie.

Elle regarde le bleu vif des châssis de fenêtre.

Ils n'avaient pas d'autre bleu que ça ? demande-t-elle. Tu comptes peindre la porte de la même couleur ?

C'est de l'indigo, dit Axel. Tu ne trouveras rien d'autre par ici.

T'as un autre pinceau ?

Axel verse de la peinture dans un seau vide et Lottie s'accroupit, le pinceau à la main, pour remuer la peinture. Elle passe soigneusement le plat du pinceau sur le bord du pot et applique une bande de bleu sur une fenêtre. Elle regarde par-dessus son épaule. Axel lui sourit. Ils s'arrêtent avant la nuit. Un vent frais souffle de la forêt.

Ça ne sera jamais triste ici, dit Axel, même pendant la saison des pluies.

Tout sera net, intelligent, étrangement riche, bien qu'il n'y ait rien à dépenser, ou presque, pour la décoration de la maison. De vieilles jarres d'argile jaillissent, en une explosion de couleurs, des bouquets de fleurs cueillies autour de la maison. Les livres sont bien rangés dans des caisses à oranges. Le sol est couvert de nattes de sisal. Les murs aussi sont tapissés de sisal, qui sent bon. Ils mangent des haricots et des tortillas grillées sur une assiette d'argile crue. Il y a du pécari et du tapir à la broche, des perroquets, des échassiers, et puis des bananes à tire-larigot. Au mur du salon il y aura bientôt une peinture à l'huile représentant des chevaux. Ils auront la crinière qui flotte au vent et des yeux farouches.

Ils roulent leur tabac dans des feuilles de maïs et après dîner ils restent assis près du feu en silence pour écouter la nuit.

Le chantier du jardin botanique avance lui aussi. Une haie de bromélias fait le tour de la maison, on cultivera des orangers, des milliers d'orangers, des pêches, des citronniers, du manioc et de la patate, des melons, de l'arachide. Axel a autour de lui une trentaine d'Indiens, ses potes et ses jardiniers à la fois, il refuse qu'on l'appelle patron, il paie rubis sur l'ongle, il paie des coups aussi, et il n'est pas le dernier à rouler sous la table, mais le jardin se fabrique presque tout seul, des ananas, et puis aussi des bêtes : chevaux, moutons.

En quelques mois *El Regalo* est devenu une véritable hacienda.

Lottie travaille toute la journée avec les femmes indiennes. Quand elles rentrent de la rivière, leurs silhouettes ruisselantes se découpent à contre-jour dans le soleil, la chemise trempée de Lottie lui colle aux seins et ses cheveux pendent en longs serpents. Une foule de jeunes mères l'entourent. Elle serre des bébés dans ses bras, les mouche et les torche. Elle leur donne de petites tapes, regarde leurs dents, leur langue, le blanc de leurs yeux, puis les rend à leur mère.

Ton petit va bien. Ne t'inquiète pas.

Qu'ont donc les femmes indiennes? se demande Lottie. Pourquoi sont-elles si fortes, si sûres d'elles-mêmes?

Des visages de Sioux, des peaux mates et parfaites tendues sur de fortes pommettes, des yeux d'obsidienne, impertinents et gais, des dents superbes. Toutes l'allure de magiciennes ou de renardes réincarnées. Alors que les Prussiennes enceintes avaient toujours l'air d'oies dont le foie grossit, et qui ne savent plus si elles sont l'oie ou bien le foie. Les

Indiennes ne se posent pas de questions. Lottie aime les Indiennes. Aime leur absence de convention. Aime leur intégralité. Aime leur anonymat. Ces Indiennes, elle les met plus haut que tout quand elles pondent leur enfant sans faire tant d'histoires : à peine accouchées elles se lèvent et elles courent vers la rivière pour se laver et laver le nouveau-né.

Il pleut à verse sur les feuilles neuves, le jardin pousse à vue d'œil, la lumière change à chaque instant. Le ciel est comme une éponge lumineuse qu'une grande main presse et relâche. Les années où elle avait été l'épouse d'un Marcus Feld semblent s'être détachées de Lottie sans laisser la moindre trace. À sa vive surprise, le sentiment de perdre son temps, l'impatience insatiable qui ne l'avait pas lâchée de toute sa vie a complètement disparu. Pour la première fois, elle aime sans aucune arrière-pensée sa vie quotidienne. Néanmoins, quand elle voit Axel au milieu de ses jardiniers, elle craint que l'un d'entre eux ne lui fasse la cour, ou quand un voyageur de passage, séduit par sa beauté et peu soucieux de la femme bien ordinaire avec laquelle il partage sa vie, le dévisage, elle se sent étrangement troublée.

Pourquoi a-t-on inventé deux pôles, homme et femme, et entre eux ce monde insensé de tensions, d'inhibitions, de convulsions et d'aberrations ? soupire-t-elle.

Malgré son mépris effronté pour ces choses-là, Lottie est tombée sous l'enchantement des Indiennes enceintes qui vivent à *El Regalo*. Des filles d'une taille et d'un caractère qui ne sont pas féminins au sens européen du terme. Et ce genre de fille longue, musclée, portant athlétiquement son gosse comme une fildeferiste son balancier, la subjugue. Axel la surprend même à manifester de l'intérêt pour les vieilles femmes et leurs activités (les paniers de vannerie, les intrigues, les deuils), d'une manière qui n'est pas du tout hypocrite. Et puis un beau jour, José, le laboureur d'*El Regalo*, vient leur présenter la fillette que sa femme lui a donnée hier. Elle est posée sur un coussin de velours comme une broche. Un teint mat, des yeux d'escarboucles et la plus longue chevelure noire jamais vue à un nouveau-né. Lottie prend l'enfant, les yeux baissés, le corps fléchi par un excès de bonheur. Elle touche d'un index léger le petit front qui aussitôt s'emperle de sueur. L'enfant est absolument immobile, absolument réelle, absolument humaine. Lottie se tait devant ce petit miracle.

Lottie est devenue plus douce, elle aime se blottir dans les bras d'Axel, et pendant quelques jours elle y passera une part considérable de son temps, de leur temps. Axel se prête au jeu. Rien de mieux à faire en attendant que poussent les cèdres, les cyprès chauves de Louisiane, les tulipiers, les catalpas, les magnolias, les hêtres pourpres du jardin botanique d'El *Regalo.*

Axel fume, il rêve, puis il observe Lottie : Tu vois toujours le Français ?

Lottie secoue la tête.

Il t'a plaquée ou c'est toi qui l'as plaqué ?

Je n'en sais rien.

Alors c'est lui qui t'a plaquée.

C'est ça, dit Lottie.

Elle remue longuement son café. Il n'y a rien à remuer parce qu'elle le boit noir. Elle pense à Victor, reparti vers d'autres cieux, encore plus torrides. Toujours le vieux mythe du mâle prédateur et irresponsable et de la femme diabolique qui essaie de le coincer pour lui passer la bague au doigt.

Veux-tu être ma femme ? reprend l'imprévisible Axel, d'une voix pleine de gravité.

Lottie ne répond rien, parce qu'en vérité elle voudrait répondre ceci : Vous là-bas, nom d'un chien, pour qui me prenez-vous, pour quelqu'un qui donnerait toute cette passion sans jamais rien recevoir ? Combien de temps pensiez-vous que j'allais pouvoir tenir ainsi ? Je dois avouer que c'est moi qui avais choisi de persévérer. Je croyais toujours que vous changeriez. Que vous viendriez vers moi. M'offririez quelque chose en retour. Et j'ai donc continué à donner. Donner. Je me suis aventurée très loin, dans un pays d'où je ne pouvais plus revenir, où j'étais perdue. L'amour non payé de retour. Je ne sais pas ce qui m'a empêchée de vous frapper à cette époque. Et maintenant que les années ont passé et que j'ai tant marché à vos côtés, et que vous me demandez d'être votre femme, je n'ai plus envie de vous. Du moins, pas comme on veut un homme, à vingt ans, quand on est malheureuse.

Ce que je veux, dit-elle doucement, après avoir toussoté, c'est une union singulière avec vous, et certainement pas un mariage. Je voudrais que… que notre rencontre reste un pur équilibre entre deux êtres solitaires. Mais vous pouvez quand même m'appeler mon amour, si vous voulez. Dites-moi : Mon amour. Essayez au moins !

Axel lui passe les bras autour du cou, il l'enlace et l'embrasse délicatement, murmurant d'une voix faible, amoureuse, ironique, obéissante : Oui, mon amour, mon amour.

Lottie se dégage en haussant les épaules.

La fusion, cette horrible fusion à laquelle on s'expose quand on est dans les bras de quelqu'un. Et pourtant tout le monde sur cette terre semble l'exiger. Je n'aime pas ça du tout, pense Lottie, je n'ai jamais aimé ça. La fusion de l'esprit, oui, l'esprit. Mais pas la fusion de deux corps. Et encore pire la fusion de deux corps dans un enfant.

Lottie grimace.

Vous avez l'air d'avoir des vers intestinaux, dit Axel.

Je n'aime pas être serrée entre vos bras, dit Lottie. J'ai l'impression de me heurter à un adversaire.

Je vous ai vue, avec le beau Victor, dit Axel. Il vous serrait d'une belle étreinte qui pénétrait votre chair jusqu'au vif. Il me semble que vous n'étiez pas la dernière à ne vouloir faire qu'un. Votre vie violente se balançait en silence, vos fesses étaient rapides et tendues, et Victor vous couvrait, ou plutôt le solide dos blanc de Victor vous obombrait.

Axel est bouleversé par sa propre agressivité. Lottie va et vient en culotte et bandes molletières, tunique à ceinture et calotte de cuir, elle a presque l'air d'un jeune homme gracieux, vif, car elle a les épaules droites, des mouvements libres et confiants, teintés même d'un peu d'indifférence et d'ironie. Dire qu'à Berlin elle traînait sa lourde tête sur des épaules voûtées.

Je crois bien que vous avez pris cinq ou six centimètres, dit Axel.

De tour de taille ? s'esclaffe Lottie.

Je parlais de hauteur, rectifie Axel, mais puisque vous le dites, vous êtes peut-être enceinte…

Lottie le foudroie du regard. À ce moment-là son visage n'est plus celui d'un homme jeune et vif, confiant et ironique. Quelque chose manque.

Ce sourire, elle aurait pu l'avoir autrefois, à Berlin, quand elle était encore malade de désir.

Elle se baisse, les mèches frisées de ses cheveux sombres s'agitent autour d'elle quand elle relève le visage, énigmatique, effrayée, intimidée et sarcastique en même temps, elle a les yeux sombres. Sa bouche est pincée par la souffrance et l'ironie.

Allons faire un enfant, dit-elle. Venez. Nous en mourons d'envie.

Quelque temps plus tard, Axel lui écrirait un mot doux inoubliable : Chère Lottie, restons réellement tous les deux ce que nous sommes devenus pendant ces quinze jours, sans le nommer.

Elle lui répondrait : Prends-moi encore dans ton lit, dans le plus botanique, le plus feuillu des lits.

Ils se donnent toutes sortes de baisers, Axel en offre un classement naturaliste. Le baiser est tantôt bruyant comme un déclic, tantôt sifflant, il y en a qui claquent, qui sonnent, tantôt il est bien rempli, tantôt creux, etc. On peut aussi classer le baiser d'après son contact, le baiser tangent, ou le baiser en passant et le baiser adhérent. On peut les classer d'après leur durée brève ou longue.

Mais, dit Axel, le temps seul peut donner une vraie classification des baisers, qui est au fond celle que je préfère. Je distingue entre le premier baiser et tous les autres. Le premier baiser est indifférent au son, à l'attouchement, et au temps en général. Le premier baiser est qualitativement différent de tous les autres. Tu ne trouves pas qu'il fallait un savant pour y penser ?

Lottie a refermé la porte derrière eux. Ils n'ont pas pu se souvenir de comment c'est arrivé. Axel se rappellerait une main dans la sienne, petite et froide, si étrange au toucher, la lumière tombant à flots sur les épaules nues quand ils étaient passés sous le lustre. Le pas hésitant dont il l'avait suivie, presque comme un enfant. Elle s'approcha du lit et alluma deux bougies puis éteignit la lampe. Il était debout dans la chambre, les bras ballants. Elle porta ses mains à sa nuque pour défaire l'agrafe de sa robe. Il commença à déboutonner sa chemise. La chambre était petite et le lit prenait toute la place. C'était un lit à baldaquin à quatre colonnes, qu'on venait tout juste de leur livrer, fabriqué avec amour par un ébéniste créole, avec des rideaux d'organdi lie-de-vin, et les flammes des bougies projetaient en transparence une lueur vineuse sur les oreillers.

Son dos était nu et pâle à la lueur des bougies dans la robe ouverte. Sa chevelure noire luisait. Lottie retira sa robe. Elle enjamba le petit monticule de ses vêtements et posa la robe en travers d'un fauteuil. Puis elle fit glisser de ses épaules les bretelles de sa combinaison et la laissa tomber. Elle entra nue dans le lit et passa un bras sous sa tête pour observer Axel.

Axel avait enlevé sa chemise et cherchait un endroit où la poser. Lottie sourit. Il suspendit la chemise au dossier de la chaise et s'assit pour retirer ses bottes. Il mit ses chaussettes en boule dans les tiges des bottes et se releva, ouvrit la boucle de sa ceinture. Il traversa la chambre, nu. Lottie avança le bras et rabattit pour lui le couvre-pieds. Il se glissa sous les draps teintés de reflets rouges, et s'adossa à l'oreiller et regarda le baldaquin aux fronces délicates au ciel du lit. Il se tourna sur le coude pour la regarder. Elle ne l'avait pas quitté des yeux. Il leva le bras et elle se glissa contre lui de toute la longueur de son corps nu et frais et soyeux. Il rassembla dans sa main la chevelure noire et la chevelure se répondit sur sa poitrine en pluie.

Tu vas penser à un homme que tu aimes plus que moi ? demanda Lottie.

Non.

Axel lui demanda pourquoi elle voulait le savoir. Elle resta un moment silencieuse. Puis elle se pencha et l'embrassa.

Au petit jour il la tenait serrée contre lui, elle dormait, elle n'avait plus aucune question à lui poser. Elle se réveilla pendant qu'il s'habillait. Il avait ses bottes, il s'approcha du lit, s'assit et posa sa main contre sa joue. Elle tourna son visage ensommeillé et leva sur lui son regard. Les bougies s'étaient consumées dans leurs bougeoirs et des bouts de mèche noircis étaient incrustés dans les formes gaufrées de la cire. Elle l'enlaça et le serra contre sa poitrine puis elle le laissa partir.

Dis mon nom, dit-elle.

Ils ne feront plus l'amour dans le lit à baldaquin. Au fond du parc sauvage d'*El Regalo*, ils ont découvert une grotte sombre et fraîche, entre les racines d'un arbre immense, le genre de choses que le temps sait parfois mieux réussir qu'aucun homme, c'est une œuvre de la nature, quelque chose qu'aurait pu bâtir un castor, ou le vent ou une grosse tempête, avec ces racines recouvertes de terre.

Et puis un matin, des nausées. Les règles ne viennent pas. La sage-femme indienne a planté un entonnoir dans le nombril de Lottie et elle a écouté.

Non, dit Lottie. Je n'en veux pas.

Elle porte un châle blanc au crochet sur une robe en tissu grossier avec des nœuds ocre mêlés de vert. Ses yeux assombris, enfoncés, donnent à son visage fatigué une lueur inquiétante.

Vous m'avez fait un enfant le plus mécaniquement du monde, mais je ne suis pas sûre que vous l'ayez voulu.

Un enfant de moi ou de Victor? ricane Axel. S'il est de Victor, alors en effet ce n'est pas moi qui l'ai voulu.

Je ne veux pas d'un enfant, dit Lottie, je ne veux pas d'un bébé qui m'appuiera sur la vessie avec son coude. Je préfère rêver les enfants plutôt que m'en occuper. Je vais avorter. Dites adieu à l'être en visite. Ce qui n'empêche pas que j'ai souvent rêvé de notre enfant. Sachez que notre fils a des joues délicieuses et des cils dorés. À la seconde où il est né, de l'alcool renversé près du lit s'est enflammé, il nous est apparu dans une explosion. Il est bien digne d'être fils de chimiste.

Nous devrions garder cet enfant détonant, dit Axel.

Ça, je ne le supporterai pas. J'étouffe déjà. Je suis incapable d'un amour sérieux. Je préférerais encore vous quitter.

Le souffle qu'Axel sent au creux de son estomac le glace. Quand Lottie se tait, il reste un long moment à la regarder. Elle lui demande ce qu'il a à dire. Il hoche la tête.

Nada, murmure-t-il.

Il ne dit rien mais il la fixe du regard. Il la tient fermement avec les yeux. Il est en train de l'étrangler tranquillement avec ses yeux.

L'Indienne est venue. Il y a eu beaucoup de sang, mais Lottie va bien. Elle se débarbouille au-dessus d'une calebasse, avec un savon et une serviette. Puis elle se coiffe, elle se penche, laisse retomber devant elle sa sombre chevelure et la brosse cinquante fois sur toute sa longueur. Puis elle rassemble ses cheveux, en fait une torsade et y plante les épingles. Elle porte un pantalon dans les poches duquel elle enfonce ses poings, et un gros béret.

En fait de grand bonheur, l'éden aura duré quelques mois, avant qu'une avalanche de passions tristes ne prenne le dessus.

J'ai rêvé de vous cette nuit, dit Axel. Je n'avais encore jamais rêvé de vous jusqu'à aujourd'hui...

Quand on aime vraiment quelqu'un, on n'en rêve pas. Les amants ne rêvent jamais l'un de l'autre. Quand on commence à se rencontrer en rêve, c'est que l'ardeur est déjà nettement refroidie.

Lottie s'ennuie. Elle s'est mise à dormir davantage. Elle regarde le feu pendant des heures, l'étrange monde incandescent des braises qui s'éteignent, les petites grottes orange qui ont l'air comme fondues. On dit, sur l'Orénoque, que les Blancs partis vivre chez les Indiens reviennent fous, s'ils reviennent. Et le paludisme y est évidemment pour quelque chose. Chaque nuit Lottie tremble de fièvre, et elle se réveille cinq ou six fois baignée de sueur, sachant bien ce que ça veut dire.

Elle a commencé à ne plus se sentir suffisamment seule. Il y a Axel dans son lit. Il y a l'absence de Victor, pesante comme un visiteur qui s'incruste. Il y avait aussi cet enfant en elle. Et maintenant l'absence de cet enfant en elle. Et puis la fièvre perpétuelle.

Elle va remplir des jarres à la source. Elle arrondit les lèvres pour aspirer l'eau qui coule. Goût de fer et de mousse, un poids de soie sur la langue. Une salamandre, petite, olive, peinturlurée, jaillit en flèche le long d'un rocher pour rejoindre le vert des profondeurs du bassin. Et le chagrin lui chante dans la tête comme du vin.

Victor, murmure-t-elle.

Tout l'a abandonnée.

J'ai grand besoin de neige, pense-t-elle.

Par terre, entre deux paires de bottes et une pile de chemises se dresse une selle intacte. Lottie la saisit par le pommeau et l'examine attentivement : Nom d'un chien, dit-elle, depuis combien de temps je n'ai pas vu la route ?

La plante de ses pieds n'a pas perdu la corne de l'année précédente. Elle s'en ira dans la nuit, seule, avec une chemise propre et une paire de chaussettes neuves dans une sacoche de cuir, non sans avoir laissé une longue lettre pour Axel : Nous avons vécu quelques mois ensemble comme sur la haute crête d'une vague. Je me suis soumise à la vie à deux, et je ne me suis pas noyée. Mais maintenant je sens qu'il me reste juste assez de souffle pour quitter *El Regalo*. Nous aurons eu ces jours où je n'ai cessé de grandir et grandir encore, grandir jusqu'à retrouver ma jeunesse – oui, si étrange que paraissent ces mots, car maintenant seulement je suis jeune, maintenant seulement je puis être ce que d'autres sont à dix-huit ans : entièrement moi-même. Ne regrette rien, je n'aurais pas du tout su vivre avec toi, car dans une maison je n'ai pas de vie. Qu'aurions-nous fait ? Je ne veux plus que tu entres dans une pièce où je vis, car j'y vis ! Je ne peux plus supporter la moindre présence, j'ai pris trop bien l'habitude de la solitude, dans les llanos, dans la jungle, et toi non plus tu ne le pourrais pas. Nous nous serons au moins entendus sur ce point-là. Tu m'as commandé, non pas une maison, mais un paysage pour m'accueillir. Je ne veux pas de la maison. Mais je veux le paysage, oui. Je m'ennuie, mon petit vieux, je m'ennuie. Mais il y a une chose dont je suis sûre : je t'aime et je t'estime merveilleusement, dedans comme dehors.

Dans quelques années vous serez une personne un peu ridicule, qui passera son temps à préparer de grandes expéditions, en Amazonie ou chez les Patagons, pour en rapporter un papillon inconnu ou l'empreinte d'un animal mythique. Vous aurez de chaque côté de la tête une poignée de cheveux blancs hérissés et trois grandes rides sur votre front dégarni. Les bésicles feront de vous un savant. Pour le reste, tout du clown. La calvitie vous menace. Mais fort heureusement quand vous serez chauve, j'aurais décampé depuis longtemps.

Ces plaisanteries pour amener ceci, en douceur : Je suis ton accoucheuse, car je crois bien que sans moi tu n'aurais jamais eu le courage de quitter Regel. Mais je ne serai jamais une accouchée. Tu auras encore des enfants, si tu en veux. Je suis redevenue sauvage, démesurément.

Laissez-moi vous glisser des mains.

En mon absence, dit Axel à Chico, tu seras l'intendant du domaine.

En quelques heures Axel avait tout réglé avec Chico. Chico ne voulait pas le regarder. Il ne toucha pas à son assiette et il resta les yeux fixés sur Axel, très triste.

Pourquoi elle est partie? demanda Chico.

Va savoir.

J'ai de la peine pour toi parce qu'elle est partie.

Et après le dîner il resta là, devant la bouteille de rhum, gardant marquée à la cendre sur son front l'impression que le prêtre y avait faite ce matin-là avec son pouce pour lui rappeler sa condition de mortel.

Comme s'il pouvait penser à autre chose.

Axel lui paya son salaire, il plia l'argent et le mit dans sa poche de chemise et boutonna sa poche.

Tu comptes partir quand ?

Au matin.

Tu n'es pas obligé de partir. Tu peux encore changer d'avis, patron. J'ai de la peine, patron.

Moi aussi, Chico. Il faut nous oublier, Chico.

Je voudrais bien, je crois que ça prendra pas mal de temps.

Je le crois aussi. Vous allez tous me manquer.

Oui, patron. À quelle heure tu comptes partir ?

Tôt le matin.

Je vous préparerai le petit-déjeuner et puis des provisions pour la route.

XVII

Une fois sauvées quelques caisses d'échantillons et de graines précieuses à embarquer à La Havane dans un navire à destination de la France, Axel charge Chico d'expédier également à Willdenow – sur un autre bateau, on ne sait jamais, si le premier coulait à pic – les herbiers tout neufs qu'il a reconstitués en hâte, de mémoire, courant cueillir ici et là, en pantalon de toile et chapeau de paille, des spécimens aussitôt disséqués puis collés et fiévreusement commentés ou additionnés de vifs croquis. Il y joint cette courte lettre : J'ai modifié mon plan initial, je ne vivrai pas dans mon paradis d'*El Regalo* jusqu'à la fin de mes jours, comme je l'avais rêvé. J'ai d'abord pensé aller à Mexico puis en Amérique du Nord, mais finalement je préfère voyager vers Quito et Lima. Il serait trop long de t'exposer toutes mes raisons…

Les raisons d'Axel sont simples : retrouver Lottie le plus vite possible. Il questionne des marchands, des muletiers, des cavaliers armés de sabres.

Tu cherches la fille qui est malade ? La fille n'est pas loin. Elle est malade.

Lottie a fait une crise de palu, souvenir parasite de l'Orénoque. Elle n'en a jamais fait un drame. Le paludisme est une chose grave, mais qui ne peut pas la toucher profondément puisque c'est la Nature qui l'a voulu, c'est la Terre, c'est le Marais, c'est le Moustique, c'est la Vie. Rien de ce que fait la Terre n'est jamais humiliant. Rien à voir avec la douleur inhumaine que vous cause un homme qui ne vous désire pas mais qui vous aime. Et vous considère tour à tour comme un danger, comme une torture, comme un cadeau.

Donc elle a une fièvre si forte qu'elle est quelque part, dans un village de pisé, où des femmes l'ont recueillie. Elle ne se souvient même pas comment elle est arrivée dans ce village de pisé. Et c'est tant mieux, pense Axel, parce que quitter *El Regalo* est plus qu'un crève-cœur.

Axel est assis légèrement en avant de la selle, les rênes tenues d'une seule main, et il serre contre lui Lottie, si mince et fragile, perdue dans son poncho. Le cheval de Lottie trotte au bout d'une longe. Axel l'a chargé d'une petite bibliothèque portative faite de quelques dizaines d'ouvrages enveloppés dans une peau de renard, et maintenus par une sangle. Au pas lent de la jument, il regarde le ciel. Il fait nuit, il y a du vent et pas d'étoiles, et il fait froid. L'herbe tressaute sous les rafales. Les chevaux frémissent en levant au vent leurs narines, comme pour capter ce qu'il y a dans l'orage qui approche, qui n'est pas seulement de l'orage.

Le gilet jaune du jeune Werther est passé de mode, ici on ne porte que des ponchos, mais ses souffrances sont encore les nôtres, pense soudain Axel.

Lottie ronfle doucement, le visage effroyablement rouge. Un peu plus loin, un vieil Inca, Astorpilco, sorti de nulle part, la soigne avec des décoctions d'écorce rougeâtre.

De la poudre des Jésuites, dit-il.

Du quinquina, corrige Axel.

Il est en face d'un homme trapu, robuste, frais, qui porte une vieille veste de cuir à boutons de laiton, et autour de la taille une peau de loup pour se réchauffer les reins. Cheveux blanchis, presque platinés, très fins, retombant sur ses épaules. L'homme ne le touche pas, ne l'ausculte pas. Ne lui demande rien. Mais tout de suite, sans un mot, sans une question, il en a su davantage sur Axel que ce que lui-même en savait et aurait pu lui en dire.

Et toi, tu vas prendre ça parce que tu es au bout du rouleau.

Il tend à Axel une botte de racines, mouillées par une résine très gommeuse.

Fais-les bouillir et bois l'infusion.

À cette altitude, ricane Axel, il va falloir sacrément de temps pour transformer une potée de neige en eau bouillante !

Astorpilco sort une petite blague pareille à celle qu'on emploie pour le tabac râpé. L'ouvre. À l'intérieur brille une poudre qui a la luminosité verte des lucioles.

Jette ceci dans l'infusion. Tu auras ta tisane de Corvisart. L'empereur des Français n'en boit pas de meilleure.

Comment tu connais Corvisart ? s'exclame Axel.

Astorpilco conduit une caravane qui se rend au Chili une fois par an. Il chevauche avec prudence, son arme en travers de la cuisse. Ses mules transportent des grains de café dans de petits sacs de cuir, du cacao, des ballots de laine, du coton, des peaux de chinchilla, des fourrures de vigogne, de la farine de manioc, de pleins paniers de maïs, du coca, des piments, de la cochenille, de la poudre de cantharide, divers champignons miraculeux, et plus aphrodisiaques les uns que les autres, dans des pots cachetés, du miel sauvage en barillets, des pains de sucre, de la cire, de la résine, des mottes de gomme, et il y a toujours une ou deux bêtes lourdement chargées de blocs de cristal de roche et d'aiguilles de quartz qui crèvent leurs paniers.

Tu n'aurais pas quelque chose de beau, Astorpilco. Pour ma femme.

Les arçons de l'Indien sont remplis de petites bourses en maroquin pleines de poudre d'or, de perles blanches, de saphirs, d'émeraudes, de grenat. Axel dépense le peu qui lui reste pour un bijou de fragilité, une plume tissée d'or et d'argent, nouée d'une perle du lac Titicaca.

Les Andes forment une région incroyable. Jusqu'à deux mille mètres, on ne supporte pas le moindre vêtement et on est mal dans sa peau. Canne à sucre, touffeur huileuse du vert végétal, ananas, bananiers, palmiers de toutes espèces, singes, des perroquets aux couleurs magnifiques, or, noir, rouge, typhoïde et paludisme. Et si on commet l'erreur de monter vers les hauts plateaux, sous les trois mille, piqûres de quantités de mouches mais aussi oranges fraîches pour compenser. Plus haut, c'est neige et glace, et sous la glace le feu des volcans. Mais partout la nuit andine est pareille : tout d'un coup, on ne sait trop comment, vers les six heures du soir, fini. Les nuages disparus. C'est ensuite un ciel très pur, piqué d'étoiles, et tellement plus immense que la terre.

On monte. On ne sait pas où on est, mais ça monte. Vingt ans plus tard, le général Sucre, qui aurait passé une partie de sa vie à chevaucher sur des chemins épouvantablement entretenus, en serait encore à réclamer au secrétariat général du Libertador une carte du coin…

Quant au chemin vers Bogota, c'est un poème de caillasse. Les bottes n'y résistent pas. Il faut se barder de cuir des pieds à la tête pour éviter les déchirures, les entaillages et les morsures des lianes épineuses et des cactées. Une douzaine de chevrettes noires et quelques gamins efflanqués se coursent dans ces gravats. Le lendemain on traverse un lac de lave durcie, d'un noir rougeâtre comme une cuvette de sang séché, c'est du verre. Puis les hauts plateaux. Ils sont parcourus d'un bout de l'année à l'autre par des vents aberrants qui en modifient perpétuellement la configuration. Du sable partout, du gravier dans tout ce qu'on mange. Au matin, un soleil couleur d'urine se lève sur un monde flou, derrière des écrans de poussière. L'air agité est chargé d'électricité au point qu'il n'est pas rare de voir se balader la pâle lueur des feux de Saint-Elme au bout des instruments de cuivre, avant de former une auréole étrange autour de la tête. Sans compter qu'à peine dehors le visage se recouvre, comme d'un masque, d'une épaisse couche de glace formée par la poussière de neige soulevée par le vent. Des grains durs et menus mitraillent le corps si brutalement que malgré l'épaisseur des rembourrages on se croit nu, exposé aux cinglantes piqûres de la glace. Ça oppresse. On doit avancer courbé sur le sol, appuyé sur son piolet.

Ce qui n'empêchera pourtant jamais Axel de se livrer à des calculs géants, en pleine tempête, sans bonnet, les cheveux couverts de givre, par moins dix degrés, pour déterminer sa position à l'aide des lunes de Jupiter, en gueulant du Marc-Aurèle : *S'il te reste peu de temps, vis comme sur une montagne, ici ou là c'est sans importance.*

À Bogota où ils arrivent en septembre pour chercher un monde oublié mais qui continue d'exister, il fait froid et l'eau bout à quatre-vingt-cinq degrés sur deux mille six cent trente mètres de roc. La question qui préoccupe Axel est la suivante : l'air a-t-il, sur tous les points du globe, la même composition ?

Lottie marche. Elle est heureuse de marcher. Il arrive toujours un moment, elle le sait maintenant, un stade où la marche vous fait franchir une limite sensible, une limite à partir de laquelle on n'a plus envie de s'arrêter, on veut seulement continuer de marcher, marcher, peu importe vers où et pourquoi, peu importe dans quelle direction, marcher est une liberté qui grise, tu peux aller où tu veux, aussi loin que tu veux, tu es increvable.

Soudain un rayon de soleil éclaire une paroi de mica et un bonheur inopiné la submerge. Elle se dit seulement : Je suis heureuse. Ici et maintenant. Sans raison. En cet instant précis je suis heureuse, comme un cadeau. Il n'y a pas d'autres manières de le décrire. Je n'ai aucune autre raison d'être heureuse. Je vis avec un homme qui me touche à peine, je dors sur un hamac, mes maigres meubles ont brûlé, j'ai été abandonnée par ce Français avec qui j'espérais m'en sortir. La fièvre jaune est en train de me détruire, parfois je boite, je me dissous, et soudain je suis heureuse. Pourquoi ? Parce que le soleil éclaire un sommet enneigé.

Le souffle coupé, elle doit s'arrêter. Une clarté chaude et jubilatoire l'envahit. Ses pensées se haussent, elles perdent leur poids, c'est une expérience tout à fait concrète, ses pensées s'allègent et elle continue de marcher, plus légère désormais, vers le haut du monde.

Petit à petit je le comprends, je suis heureuse parce qu'on se tait.

Comme de vrais montagnards ils sont muets maintenant, sans plus ressentir le besoin de parler, et heureux de leur silence, comme le remarque Lottie après six heures de mutisme, en se tournant vers Axel :

Voilà ce que j'aime. Aller de l'avant sans avoir besoin de parler, comme des bêtes, et reliés seulement par la télépathie.

Ainsi repliés sur eux-mêmes ils poursuivent leur route. Le vent mord. Les lézards se sont réfugiés sous terre. Lottie porte un chapeau de feutre aux bords rabattus, maintenu sur les oreilles par un grand foulard passé sous le menton et dont elle noue les pointes sur la coiffe. Elle aussi examine tout ce qu'il y a autour d'elle en se demandant bien pourquoi dans ce cadre oppressant elle se sent si bien dans sa peau. Les nappes d'éclairs qui palpitent à l'horizon et ces molles flammes bleues courant dans les oreilles des chevaux et sur la barbe d'Axel. Les étoiles et les rochers et les sentences de Marc-Aurèle malmenées par le vent et le visage hermétique d'Axel. Elle n'a jamais pu lire dans ses yeux et encore moins maintenant qu'il a noirci ses orbites comme font tous les voyageurs qui s'apprêtent à traverser de vastes étendues de neige. En vérité, à cette seconde Axel pense à son père. Durant son long voyage à travers des étendues neigeuses et scintillantes, il a fait cette constatation : ses propres mains qu'il voit devant lui, cramponnées aux sangles de son paquetage, ces mains brunes, crevassées, couturées, ressemblent trait pour trait aux mains de son père, qu'il joignait sur la poignée de son sabre, lors des défilés d'apparat.

À ces altitudes, la différence entre les zones situées à l'ombre et au soleil est frappante : le ruisseau qui coule près du campement est pris dans la glace, tandis que des lézards paressent au soleil un peu plus haut, sur le rocher que Lottie a gravi pour se réchauffer et noter les paroles d'une chanson qu'elle vient d'inventer. Au pied du rocher, Axel enduit de crème ses lèvres crevassées en écoutant Lottie chantonner. Comme il fait trop froid pour rester assis sans bouger il marche de long en large sur l'arête. Dans la limpidité de l'air andin, tous les volcans se rapprochent et cette splendeur lui tire des larmes paisibles. Ils dînent de fromage de chèvre avec un gros radis et des prunes sauvages attendries par le gel.

Un peu plus tard, Axel prend la carte des étoiles, l'oriente convenablement et après l'avoir étudiée, il dit :

Il est exactement vingt heures quarante-huit.

Comment tu le sais ?

Sirius ne se trouverait pas là s'il n'était pas vingt heures quarante-huit.

Lottie remet du bois mort dans le feu qui bondit comme un chiffon jaune et rouge. Ils réchauffent leurs mains gelées. Puis ils posent le pot de café dessus et s'asseyent tout près. Axel fait la vaisselle avec des boules de neige. C'est le plus exquis dîner qu'ils aient jamais fait. Au-delà des lueurs orangées de leur feu brillent des constellations d'innombrables étoiles, formant des queues de comètes, des voies lactées ou des diamants solitaires avec des reflets d'argent bleus et froids. Leur bûcher ardent met des reflets roses sur leurs filets de pécari salés. Pas la moindre envie de boire de l'alcool. Ils ont oublié jusqu'à son existence. La montagne est trop haute, l'ascension trop fatigante, l'air trop vif, et le vent lui-même suffit à vous rendre soûl comme une barrique.

Axel tire le sac de couchage de Lottie plus près du feu que le sien, afin d'être sûr qu'elle aura chaud, après avoir disposé des branchages sur le roc et les avoir couverts d'un poncho pour lui faire un matelas. Tout lui est occasion d'exercer son amour pour elle. Ils se roulent dans leurs sacs de couchage. Il fait maintenant un froid de glace, il est plus de onze heures. Ils bavardent encore un peu jusqu'au moment où l'un d'eux cesse de répondre et bientôt ils sont profondément endormis.

Lottie se réveille au milieu de la nuit et là, devant les étoiles, étendue sur le dos, elle rend grâce à Dieu pour cette course en montagne. Ses jambes vont mieux et elle se sent forte. Les craquements de bûche dans le feu mourant semblent des commentaires discrets sur son bonheur. Elle se tourne vers Axel. Il a enfoui son visage dans le sac de couchage. La forme pelotonnée est le seul objet qu'elle puisse discerner dans la nuit. Et elle pense : Que l'homme est étrange. Je l'aime et devant lui je me sens stupide.

Elle tourne entre ses doigts une médaille qu'elle porte maintenant autour du cou, au bout d'une lanière de cuir. C'est un disque de pierre sombre ramassé dans une grotte andine. Elle en a ôté la boue avec le pouce et déchiffré deux dieux exubérants, dos-à-dos, avec des yeux peints et des casques emplumés, leurs bracelets de cheville pailletés levés en une danse sauvage. Ils arborent des sceptres à tête d'oiseau, brandis vers le ciel. Les dieux couleur de fer reposent frais et lisses contre sa poitrine.

Je ne suis plus juive, pense-t-elle. Je n'ai jamais été juive.

Les minuscules Alpes bavaroises, suisses, françaises, Lottie ne les avait jamais rencontrées, sinon dans les récits des voyageurs, dans les légendes. Mais les Andes ne sont absolument pas concernées par ce que les grandes pâmoisons romantiques ont fait des Alpes. La cordillère sépare, isole, s'éboule, tue, gèle, écrase, et en plus elle tremble et crache de la lave sous toutes ses formes et de toutes les couleurs, de la caillasse pétaradante à la cendre incandescente, en passant par les coulées monstrueuses. Ses glaciers non plus ne sont pas sublimes et n'attirent pas encore les peintres sur leur tabouret.

Les Andes sont les premiers sommets de Lottie. Et pourtant, de saignements de nez diluviens en bourdonnements d'oreilles, elle les domestiquera, petit à petit. Les Andes vont lui faire comprendre l'étrangeté du monde, et comme elle sait peu de choses et comme elle est mal préparée à tout ce qui peut arriver. Qu'une vie d'homme ou de femme n'est guère plus qu'un instant et qu'on est toujours et éternellement au beau milieu de son voyage, quel que soit le nombre de ses années ou la distance parcourue.

Des Andes elle a reçu dès le premier jour une révélation. Il faisait un temps magnifique et elle s'est sentie soudain à l'agonie, comme un poisson hors de l'eau, sa respiration se changea en bâillements forcenés, puis lèvres cyanosées, ongles bleus. La sensation d'étouffement s'accroissait. Poumons serrés dans une main de fer. Sang aussi lourd que de l'or fondu. Très concentré, son esprit ne faisait qu'un avec son corps, pour tenter de comprendre comment il fallait réagir, quelle nouvelle alchimie il convenait de mettre en route. Lottie se mit alors à mordre à belles dents dans le ciel, mâchant et engloutissant un large morceau d'air vif. Elle avait l'esprit plus alerte que jamais. Sa pensée grimpa vers le ciel. Tout était paix et majesté. Une mer de nuages s'étendait loin sous elle, un jardin de mousse d'un blanc pur. On distinguait les autres sommets, le Cotopaxi, ramassant négligemment ses nuages autour de lui, le Pichincha, très loin, la fumée blanche de son cratère caillant comme du yaourt, reposant sur une mer qui miroitait. Et ainsi toute l'allée des volcans. Ce souple royaume de nuages et de soleil était le panorama majestueux du monde qu'elle portait en elle, et qu'elle n'avait évidemment jamais soupçonné. Elle ne s'évanouit pas, elle sentit plutôt un éveil, du genre dont parlaient les poèmes sanskrits que recopiait Wilhelm von Kemp.

C'est magnifique, dit Axel en prenant son calepin pour noter les couleurs du ciel. Lottie hoche la tête pour marquer son approbation.

C'est vraiment, vraiment magnifique. Les étoiles commencent à briller. Lottie sombre dans une profonde méditation. Quand elle rouvre les yeux elle voit Axel toujours assis, tenant un baromètre à bout de bras, aussi immobile qu'une pierre. Il est si comique qu'elle a envie de rire. Mais les volcans au loin sont d'une solennité impressionnante. La nuit descend, pourpre, et le flux du silence pénètre comme un liquide dans l'oreille. De quoi puiser la paix pour mille ans.

Lottie a un million de pensées. Axel a les siennes. Lottie s'émerveille de voir ce grand bonhomme extraordinaire qui étudie avec persévérance l'astronomie et la botanique et la chimie et toutes sortes de choses dans des livres et bat la montagne et les pistes, mais qui ne peut pas se passer d'elle.

Le monde des hommes n'est pas si mauvais, pense Lottie, puisqu'on peut y rencontrer des Axel.

Ses muscles sont douloureux et elle a des crampes d'estomac à cause des bouchées de neige pour tromper la faim, mais la naissance, la vie et la mort lui semblent justifiées, ce soir-là, par la présence des volcans tout autour et le fait que deux jeunes gens sincères sont assis, en train de penser qu'ils sont follement heureux, en un lieu où ils n'ont rien à attendre de personne.

Le manque d'air m'a découvert la pureté de mon esprit, expliqua-t-elle à Axel.

Faut pas trop jouer avec ça, dit Axel.

Lui s'était évanoui trois fois dans la lumière impitoyable, mais ça ne l'empêchait pas de serrer les dents sur un sourire de joie toute nue. Il était à moitié mort, mais ses lèvres s'étiraient encore de plaisir.

J'ai vu le serpent géant, lové autour de la terre, dit Lottie. Le serpent qui avale sa queue, l'immense serpent final qui triomphe de tous les contraires.

Alors on va pouvoir rentrer, dit Axel.

Rentrer ? Non, jamais. C'est ici que je veux finir mes jours, je veux rester ici, par choix et par bonheur.

Si c'est la solitude qu'elle est venue chercher ici, elle a bien choisi sa montagne. Là-haut, sa mémoire ne fonctionne plus. Plus personne au rendez-vous, ou alors des ombres floues, écornées, plaintives. Les voix et les odeurs se sont fait la paire. Depuis qu'elle s'échine dans la neige, sa misère s'est évaporée. Elle a beau tisonner quelques anciennes douleurs, ça ne réveille rien de spécial, à peine une crispation de la mâchoire, mais rien ne frémit dans le ventre, dans la poitrine. Cette propreté de la mémoire, c'est terrifiant. De son autre vie ne reste pas plus qu'un pois chiche. Dans son cerveau desséché par le soleil, Marie l'Égyptienne ne devait plus avoir un seul souvenir des bordels d'Alexandrie. Bref un dénuement, un dépouillement de père du désert, de sainte. C'est reposant, c'est effrayant, on en oublie jusqu'à son nom.

XVIII

Les volcans, ils n'ont l'air de rien, sereins, couverts de blé, puis en un après-midi ils inondent quinze villages sous des coulées de boue, en lançant leur lave enflammée jusqu'à cinq mille mètres de hauteur. Il suffit d'un tremblement de terre pour avoir toutes les cartes à redessiner. La pluie dissout et effondre la montagne. La terre s'ébranle, cède, s'écroule. Il est arrivé plusieurs fois que les Andes baissent comme des bougies en une nuit, et alors toute la vie doit se refaire sur de nouvelles bases. Plus rien ne tient debout, il faut tout reconstruire et les chemins ont disparu. On se perd en plein jour à deux pas de chez soi.

C'est un coin farci de cratères. On se croirait sur la lune. Le Cotopaxi ressemble à s'y méprendre au Fuji Yama des estampes japonaises. Le Chimborazo est le plus haut du monde mais un vieil inoffensif. En tout cas de mémoire d'homme.

Il y a aussi l'Antisana, l'Altar, le Tunguragua, énorme et ventru qui écrase tout le paysage. Les volcans ne se découvrent tout à fait que par temps très clair. Même dans les nuages on les reconnaît parce qu'on les connaît à la forme des nuages qui les coiffent. Chaque volcan a son groupement spécial de nuages, et sa physionomie propre.

Beaucoup de démons habitent ici, ils attirent les troupeaux vers les gouffres, ils violent les bergères. On parle tout de même d'un esprit bienveillant, une petite créature aux seins toujours gonflés d'un lait qui immunise les enfants contre le vertige. Axel semble en être gorgé, il faut croire que Lottie n'en a jamais bu une goutte. Et pourtant, malgré le vertige qui lui hurle aux oreilles de se coucher là, de ne plus avancer, d'attendre son tour à la morgue, elle escalade les milliers de marches aménagées par le peuple inca disparu, sur la vieille route de porphyre brun, entre Quito et Cuzco, franchit des glaciers, escalade des crêtes vertigineuses que le vent a aiguisées à vif.

En s'adossant à quelqu'un de fort on peut regarder le vide en face. Au bord des gouffres, Lottie jette tout son corps en arrière, appuyant son dos et ses épaules contre la poitrine d'Axel. Une fois quasiment allongée sur lui, elle ose descendre des yeux dans les abîmes. Elle laisse ses yeux ramper sur les parois, d'abord très adhésifs, crispés, puis valser carrément. Elle fait tourner gaiement ses globes oculaires comme si tout son corps valsait dans le cratère, en écoutant les croassements des vautours et des engoulevents.

Puis une terre si ingrate que les Indiens s'y nourrissent d'un arbuste dont la pulpe est tendre et savoureuse, mais qu'il faut disputer aux ours. Enfin, Quito. La ville vient d'être reconstruite après le tremblement de terre qui a fait quarante mille morts, quelques années auparavant. Un grand cimetière donc, d'autant que le temps là-bas est presque constamment gris, d'hiver. Qui n'aime pas les nuages noirs, qu'il ne vienne pas aux Andes. Heureusement que les ponchos aux couleurs éclatantes sont une joie constante, un triomphe splendide sur le ciel noir et la terre noire des volcans.

L'ascension d'un volcan est d'abord une promenade. Ça commence par une série de dessins de la tête d'un condor qu'un guide vient d'abattre. Et ça se poursuit sur un sentier qu'un randonneur moyennement entraîné pourrait emprunter sans peine, où Axel herborise, où Lottie ramasse des cailloux en prenant garde aux épines gigantesques des bambousiers, où leurs guides pistent les chinchillas et les renards. Le vent, les pas alourdis par les semelles de feutre, le raclement des épines sur la tige des bottes, le halètement des respirations fourbues. Et par-dessus tout le plaisir qu'on éprouve à écouter grincer le cuir de son sac à dos.

Axel puise dans la neige avec un gobelet en étain, et il boit cette eau, à volonté. Il se sent de nouveau heureux, plus heureux que jamais depuis des années, depuis son enfance peut-être. Il est lucide, joyeux. Dans son carnet, à côté des colonnes de chiffres de la pression atmosphérique, il crayonne : Je suis heureux.

Maintenant la pente se relève doucement. Escalade. Le dos s'incline. Le corps se transforme. Quadrupède. Lama. Les pieds sont devenus des mains et les mains des pics, des vis d'accroche, des rivets. Les grimpeurs étendent leurs bras et leurs jambes. Puis la neige, jusqu'aux coudes, jusqu'aux genoux, jusqu'aux hanches. Ensuite ça se gâte franchement à cause du gel et du manque d'oxygène. Les nausées et les vertiges occupent toute la place. Une arrivée au sommet est toujours engloutie dans la brume des malaises.

Le 26 mai 1805, à bout de force, mourant de faim, grelottant, saignant des gencives à cause de l'altitude insensée, Axel se dresse au bord du cratère du Pichincha et pousse un ioulement magnifique et haletant, une étrange musique, d'une intensité mystique.

Il faut bien le reconnaître, le cran, l'endurance, la sueur jamais épargnée, et maintenant ce chant d'une joie déboussolée, c'est pour tout cela qu'elle l'aime. Il est très beau dans son long manteau de chinchilla, comique aussi par certains côtés, pense Lottie.

Mais elle n'a pas assez de forces pour répondre à son ioulement parce qu'elle suffoque dans les vapeurs de soufre soudain rabattues par le vent. Des flammes bleuâtres volettent autour d'elle. Axel court quelque part là-haut et disparaît dans le brouillard. Tous les nuages du monde se sont donné rendez-vous au sommet du Pichincha. Il dira plus tard qu'il en a profité pour estimer la profondeur du cratère, il est descendu dans la gueule du Pichincha, de quelques mètres seulement, c'était une merveilleuse folie. Il a commencé à gratter le rocher avec son couteau. C'est du soufre. Un bourrelet de soufre sur le pourtour du cratère, jaune vif avec ici et là l'éclat de fines paillettes de silice, mais presque partout de la pure fleur de soufre.

Un demi-siècle plus tôt La Condamine n'avait pu rester que douze minutes au sommet du volcan à cause du froid épouvantable. Axel a emporté un thermomètre, il descend en rappel dans le cratère pour estimer la température des fumées, son manteau se déchire aux arêtes rocheuses, ses guides hurlent qu'il est fou, et ensuite il recueille de l'air dans un bocal pour en faire l'analyse un peu plus tard dans la vallée. Il est resté plus de trente minutes, qui lui coûteront deux orteils et une broncho-pneumonie purulente. Il lui faudrait du temps pour se remettre de cette journée mais de voir son corps partir en morceaux ça ne l'avait pas impressionné du tout, ça l'avait amusé plutôt, il se sentait invincible.

Combien faudrait-il encore m'enlever de barbaque pour que je ne sois plus moi ?

Personne ne s'est jamais autant éloigné du niveau de la mer. À cette altitude il n'y a plus de plantes mais en redescendant, Axel recueille des échantillons de lichen jaune-brun tapi sur les roches, qui émerge encore de la neige. Il sort son carnet. Il doit chiffonner une demi-douzaine de feuilles avant que sa main puisse lui obéir suffisamment pour noter quelque chose de lisible.

Tu sais quoi ? Si j'étais poète, j'écrirais un hymne au granit, c'est la plus haute et la plus profonde des pierres, la roche mère… Je t'aime, granit !

Moi, dit Lottie, je veux seulement voir un fleuve de lave. Après quoi je n'aurai plus rien à souhaiter, j'aurai vu jaillir le fond de la nature inhumaine sur lequel nous sommes installés. Je ne rêve rien de plus, fait-elle en sortant un quignon de pain de son havresac. Une bande de chèvres sauvages grignote l'épine-vinette rabougrie qui pousse dans les fissures. Mais elles s'arrêtent bientôt pour regarder Lottie. Leur confiance est stupéfiante. Et tandis que les chèvres se remettent à brouter, Lottie mâche son pain sec au même rythme, merveilleux, immergée dans cet univers purement caprin, attentive seulement à la manière dont le vent de la montagne rebrousse le pelage des bêtes.

À peine dix-sept jours plus tard, leurs plaies ne sont pas tout à fait cicatrisées mais le Cotopaxi les appelle. On a vu brusquement surgir de son cratère une tempête de feu qui s'est achevée en pluie de cendres. Au pied du volcan les Prussiens sont reçus par le gouverneur de la province avec toute sa suite. Aux dires du gouverneur, il faut invoquer la Madone de Guadalupe à chaque fois qu'on pose le pied droit dans la cendre du Cotopaxi. Ce sera le seul conseil des gens du cru parce qu'Axel leur a déjà tourné le dos, l'air de penser : Quand il fait beau, cinq mille mètres c'est pas la mer à boire.

J'ai entendu un grondement, nous pouvons espérer une éruption dit-il d'un air gourmand.

Alléluia, dit Lottie.

Son homme se jette à quatre pattes sur le sol qu'il ausculte avec un cornet acoustique de laiton. La pierre gelée contre sa joue ne calme pas sa fièvre. Il entame l'ascension du volcan sans interrompre son verbiage et Lottie admire son extraordinaire endurance. Des heures de joyeux blabla, des mots sans rime ni raison, des chansons, ils avancent, baignés de sueur par l'effort mais souriant toujours.

Quoique frisant les six mille, le Cotopaxi se grimpe sans difficulté. Un sentier de promenade parvient à un beau cône enneigé. Lottie est en train de tirer à elle la corde pour la plier. C'est là que l'accident arrive, inconcevable. Son piolet est tombé. Et c'est presque comme si Axel, le dernier compagnon qui lui reste, l'avait abandonnée. Elle esquisse un geste réflexe pour le rattraper, mais naturellement c'est trop tard. Le piolet rebondit contre le flanc du volcan, si haut qu'il paraît même s'envoler. Enfin, dans un brusque plongeon il s'évanouit silencieusement.

Là Lottie s'aperçoit qu'elle meurt de froid. Retour de cette peur qu'elle avait crue enfuie.

Je redescends, hurle-t-elle. Aujourd'hui je n'arriverai à rien.

Axel n'a pas compris un seul mot. Le vent!

Rien d'important, dit-elle.

Brutalement terrorisée par le sentiment de l'altitude, elle a peur de monter plus haut. Tous les vingt pas, elle s'arrête pour souffler. L'angoisse la plie en deux.

Je crains d'être balayée.

Elle s'est assise, morveuse, deux mèches de mucus partiellement gelé lui obstruent les narines. Axel lui tend une poignée de raisins secs : Ça ira mieux avec du carburant, tu vas voir, tu vas courir deux fois plus vite! Et puis je ne te vois pas écrire à ce vieux Goethe que tu es venue jusqu'ici pour déclarer forfait au dernier moment.

Chaque fois qu'elle mange dans la main d'Axel, en effet, elle sent revenir ses forces, et elle repart d'un nouvel élan pour franchir une cinquantaine de pas d'une seule traite. Puis il faut s'asseoir de nouveau, en sueur malgré le vent aigre.

Plus vite, hurle Axel, on y est.

C'est vrai, on y est. Ils étouffent presque de saisissement quand ils se retournent et voient toute la cordillère étendue à leurs pieds dans toutes les directions, sous le ciel bleu immense, parcouru de nuages ronds comme des planètes. Des vallées lointaines et même des plateaux se déploient en perspective.

On descend, on repasse sous les nuages. Il fait froid jusqu'au cou, aigre jusqu'aux oreilles. Il neigeote. Un sale petit crachin. Un sale petit vent de Toussaint. Un sale petit ciel de onze heures du matin. Glacial.

Dans le pierrier de la descente, où il faut assurer chaque pas, Lottie s'est remise à pleurer.

Qu'est-ce que tu as ? Tu es pourtant meilleure montagnarde que moi, tu as déjà fait des arêtes où je ne me serais pas risqué.

Axel passe devant et entend Lottie sangloter derrière lui en sautant d'un bloc à l'autre, comme un chamois, avec une sûreté absolue, mais chialant malgré tout.

Lorsqu'elle est parvenue au bout de ses larmes, ils ont atteint le grand plateau aux azalées ; elle est pacifiée, d'attaque, récurée. Et un instant plus tard c'est elle qui va donner le signal du délire. Axel voit Lottie descendre la montagne en courant, à grandes foulées de dix mètres, sautant, fonçant, atterrissant, sur les talons de ses grosses bottes, rebondissant deux mètres plus loin, pour s'envoler de nouveau par-dessus les rochers, planant, criant, et dans un éclair, avec un ioulement de sa composition, Axel se lève soudain et se rue à son tour vers le bas de la pente après Lottie, à force de bonds plus grands que les siens, de foulées encore plus fantastiques. En quelques minutes, à une allure de bottes de sept lieues, ils dévalent le flanc du Cotopaxi comme des chèvres de montagne, hurlant comme des Incas inspirés, avec assez de force pour faire dresser sur son crâne les cheveux du méditatif chevrier, là-bas, au bord du lac.

Maintenant tu comprends pourquoi tu n'es pas restée auprès du vieux Goethe ! fait Axel.

De retour au camp ils avalent deux ou trois côtelettes puis une tarte aux mûres. Ils sont si affamés qu'ils ne prennent aucun plaisir à manger, il leur suffit d'engloutir de l'authentique nourriture.

D'où vous venez comme ça ? demande un soldat qui porte à la ceinture un sabre de caporal, vraie lame de Tolède à poignée de cuivre, brillant comme une étoile éternelle pour perpétuer ses aventures.

D'en haut, dit Lottie.

Axel offre un cigare. Le soldat sort de sa besace une bouteille de porto et ils fêtent ça jusque tard dans la nuit.

Deux semaines après ils ont bouclé leur barda, prêts à en découdre avec le Chimborazo. En quechua, cela signifie tout simplement montagne de neige. Le Chimborazo est le toit du monde. C'est tout à fait sérieux, si l'on en croit les géologues. L'Everest ne dépasse les volcans de l'équateur que parce que la mesure usuelle se réfère au niveau de la mer. Mais si, plus justement, on estime la hauteur du relief par rapport au centre de la terre, alors le Chimborazo l'emporte largement sur la chaîne de l'Himalaya.

Le pic de Teide avait été le premier sommet d'Axel. Voici le Chimborazo qui culmine pratiquement au double. Le chemin qui enlace sa base est tellement étroit qu'il faut à chaque instant ôter le pied de l'étrier et étendre la jambe sur le cou du cheval pour qu'elle ne soit pas écrasée contre un rocher. Malgré tout, Axel veut être l'homme le plus haut du monde, mais le temps se gâte. Une petite avalanche déboule. Trop impatient pour différer l'ascension, Axel congédie les guides indiens.

Rendez-moi un service, allez me porter ça en ville. C'est très important.

Il leur tend une enveloppe même pas cachetée. C'est sa lettre d'adieu à Wilhelm, la seule famille qui lui reste. En cas de malheur, Lottie n'a personne à prévenir. Ça lui donne à réfléchir. Dans la jungle, elle ne s'était pas préoccupée de sa place dans le monde. L'un des guides prend la lettre et la glisse dans son poncho. Puis il tend la main, paume ouverte. Le geste est clair. Axel fait semblant de fouiller dans un porte-monnaie taillé dans un scrotum de renard. Il est vide depuis longtemps. Magellan distribua aux Patagons des ciseaux et des miroirs à tour de bras. Le capitaine Cook avait une épée et saluait les chefs maoris avec un bicorne aussi brillant que le soleil. La Pérouse distribuait sans compter des fers de hache et des perles de verre bleu. Axel est aux Andes sans rien proposer d'autre que ses moufles crasseuses. Les voyages ont bien changé.

Et si vous n'avez pas envie d'aller jusqu'à la ville, fait Axel en rangeant sa bourse de renard, je m'en contrefous, j'en ferai pas une maladie.

Il demande à récupérer sa lettre et la déchire aussitôt.

L'argent est épuisé. Parti en fumée avec le jardin. Ils ont depuis longtemps vendu les chevaux avec leur selle et les six mulets. Il faudrait réparer les bottes de Lottie, ça ne serait pas du luxe. La semelle est mince comme du papier et le fil de la couture est sorti du cuir.

Un front neigeux est arrivé de l'ouest et le temps tourne au froid. Axel vérifie soigneusement le chronomètre et la lunette. Il croise les bras et se concentre en regardant le ciel. Puis tout à coup il s'est lancé. Lottie est la seule à n'être pas surprise par sa brusquerie. Elle le connaît par cœur. Il est une partie d'elle. Tout ce qu'il va faire elle le sait déjà, elle sent en elle des signes avant-coureurs, des frissons. Elle lui emboîte le pas aussitôt. Elle porte en bandoulière une boîte à herboriser et elle bondit sur les pierres derrière Axel.

Le dernier refuge sur le flanc du Chimborazo est une petite ferme gardée par un vieil homme. Il a aperçu les deux silhouettes empaquetées comme des Esquimaux, qui gesticulaient. Un vent à arracher les cheveux. Les poings gèlent au fond des poches. Il a fini par ouvrir sa porte aux deux personnages bizarrement masqués, tout couverts d'écailles de glace, à la fois imposants et déguenillés.

Le vieux fait chauffer de l'eau dans un petit récipient cabossé. Il est tout sourire en découpant des lanières de viande séchée dans la ronde vertigineuse des cancrelats. Il y a aussi du pain chaud avec du sel et un morceau de beurre. Le vieux est trapu, costaud, à une semaine de son soixante-dixième anniversaire. Il a une mâchoire large, le nez assez long et fort, avec des narines écartées. Sa barbe grise est taillée en carré.

Vous me faites penser à un capitaine de vaisseau, dit Axel. À gouverner dans la tempête chaque jour que Dieu fait !

Dans la cabane cernée par les nuages de brouillard glacé, Axel se sent paresseux et détendu. L'air sent la neige et la fumée de bois. Ses cheveux sont longs, ses yeux paraissent plus bleus dans l'abri sombre, sa peau est tannée et heureuse.

Il prend la main de Lottie.

Ma vieille amie, commence-t-il.

Il ne souhaite absolument pas devenir sentimental. Après tout ce qu'ils ont vécu, il est inutile d'être sentimental. Mais au terme de ce long chemin qu'ils ont parcouru ensemble, dans ce grand moment qu'est l'ascension du Chimborazo, la montagne la plus haute du monde, il faut quand même qu'il lui dise ceci : Sommes-nous seulement un couple ? Je veux dire un homme et une femme banalement associés, ayant partagé des sensations dans un lit, à table et dans quelques occupations quotidiennes ? Nous avons partagé plus que des banalités, non ? En fin de compte, dit-il, l'aptitude de notre petite équipe à s'élever au-dessus de la torpeur prouve que nous sommes unis par-delà la mort et la gloire.

Je vois, dit Lottie, nous sommes un couple de guerriers.

Ça te déplaît ?

Lottie fouille dans son havresac pour en sortir une brosse à cheveux et des chaussettes sèches.

Tu ferais mieux de te coucher, dit-elle enfin.

Dans les pays froids, on ne peut pas dormir nus, dit Axel. C'est dommage.

Je te vois venir, dit Lottie.

Axel pose un doigt sur les glaçons qui pendent à la minuscule fenêtre.

Et maintenant, dit-il, je vais te toucher le bout des seins.

Lottie croque une grande bouchée de neige et la garde sur sa langue jusqu'à ce qu'elle s'engourdisse de froid. Puis elle avance sa bouche toute bleue vers Axel.

Et maintenant, dit-elle embrasse-moi.

Arrête, t'es pas folle, rit Axel, tu vas me brûler !

Lottie hoche la tête en souriant et Axel s'endort, tout à fait rassuré, d'ailleurs il ignore pourquoi. Mais c'est ainsi depuis toujours. Il suffit que Lottie ait envie de rire pour qu'il soit en paix.

Il se réveille à l'aube, en sursaut. Il a rêvé que Lottie est morte. Il l'a vue distinctement, morte. Elle portait la robe noire qu'elle avait à l'enterrement d'Elizabeth von Kemp. La robe ornée d'un corsage à bouillons et de liserés de dentelle passementés de ruban bleu. C'est bien la robe qu'elle portait à la cérémonie. Ça et le chapeau assorti. Bonne nuit, a dit Lottie. Bonne nuit, a murmuré le dormeur. En la voyant passer devant lui, dans cette robe, il savait qu'elle ne reviendrait plus jamais et qu'il ne la reverrait plus et il l'appela dans son sommeil en criant mais elle ne se retourna pas, elle ne lui répondit même pas et elle se mit à tracer son chemin avec une peine infinie dans un vide infini.

Axel grelotte dans sa couverture de renard. La couchette glacée lui gèle les côtes à travers le poncho. À chaque effort pour respirer il exhale de petits nuages de vapeur. Il y a du givre sur le sol.

Lottie ?

Il pêche ses bottes près du four qui les a tenues au chaud toute la nuit. Il se chausse en tremblant.

XIX

La nuit a été royale. Le ciel est magnifiquement bleu sur la neige pure et, au-dessous, au lieu du monde, une terrasse de nuages, à des kilomètres et des kilomètres, dans toutes les directions. Du haut de son pinacle, Lottie domine les nuages bas qui passent loin au-dessous d'elle. Elle crie miaou à un gros lapin à fourrure immaculée qui s'amuse un moment à contempler le panorama avec elle.

Maintenant la crevasse s'ouvre en plein soleil. Lottie s'est avancée tout près du bord.

Je suis dans mon jardin alpestre. Un paysage à se tuer, pense-t-elle. Je ne veux plus m'en aller d'ici, je me suis trop bien faite à la vie dans un monde parfait.

Elle s'accroupit dans la neige. Elle pisse une fleur jaune et fondante, les yeux fixés sur les hauteurs vierges, vieilles comme le monde et encore semblables à ce qu'elles avaient dû être un million d'années plus tôt. À l'instant même où elle aurait juré qu'il n'y a rien de vivant dans ces altitudes glacées, hormis le lapin blanc et elle-même, deux oiseaux gris s'envolent et puis une grosse sauterelle cuivrée lui dispute le passage sur un pont de neige. Lottie insiste, la sauterelle bondit dans le vide.

Une grande chaleur vraiment se répand. Elle ôte ses lunettes fumées, boit un coup, bourre sa gourde de neige et la couche près d'elle.

Je me souviens du bonhomme de neige qui disparaît au printemps de Berlin… Il n'y a plus que les boutons noirs de son manteau. Et sa pipe. Nous aussi nous allons fondre. Je ne veux pas rentrer, je vais fondre si je m'en vais d'ici. Et j'ai trop peur de fondre.

Les cris d'Axel qui hurle très loin en contrebas arrivent creux à son oreille, elle ne les comprend pas et voit devant elle un pays grave et incroyable dont la tristesse blanche s'accorde à la sienne. Axel tout petit, criant à des centaines de mètres de là, avançant comme un automate dans un vide immense. Lorsqu'elle se détourne du jouet minuscule pour suivre des yeux un condor dont l'ombre est passée sur la crevasse, elle se voit reflétée dans un mur de glace comme dans un miroir. Terrible. Sa propre image lui donne un étrange sentiment de malaise et d'insuffisance.

C'est donc tout ce qu'il y a à voir de moi ? déplore-t-elle, alors que dans sa tête il y a des mondes entiers et des milliers de visages.

Enfant, elle ne croyait pas aux miroirs qui lui montraient qu'elle avait une silhouette, c'est-à-dire des limites, et qu'elle n'était donc pas amoureusement mêlée avec ce qui l'entourait. Pour cette raison, elle avait toujours détesté les miroirs.

Les miroirs mentent et les couples aussi. Je ne veux pas de limites.

De même qu'elle avait cru dans son enfance que les miroirs mentaient lorsqu'ils lui disaient qu'elle avait une silhouette précise, et lui donnaient un soi-disant fidèle reflet d'elle-même, elle soupçonnait aussi le mensonge et l'horreur de la captivité en toute histoire d'amour. Aimer, c'est quoi d'autre que le réfléchissement d'une personne limitée dans une autre personne limitée ? Alors pour éviter cela, elle va désormais adresser son amour non pas à un homme mais à quelque chose d'infiniment plus vaste et diffus, entier et grisant : la vie même, la pure sensation de la vie.

Son manteau de fourrure se détache en sombre sur le ciel, et son corps, mince malgré l'épaisseur du vêtement, planté comme un petit arbre sur ce sommet où rien ne pousse, fait un contraste frappant avec les ombres rondes des nuages qui le balaient. La neige se met à tomber, puis un vent acéré, gelé, se met à souffler jusqu'à ce que Lottie craque dans une armure de soie blanche.

De nouveau les appels d'Axel.

Elle les ignore. Elle considère sans un mot les fabuleux lointains.

Au bord de la crevasse la glace s'effrite sous ses pieds.

Marche en posant les pieds tout doucement, comme si tu avais peur d'abîmer la neige, chuchote Lottie, avant de rougir de honte à l'idée de penser encore à sa survie.

Elle fait tout de même un petit pas en arrière. Son dos heurte immédiatement une immense falaise blanche, le flanc du glacier. Elle s'y appuie franchement. Ça vibre. Ici Lottie ressent le mouvement de la vie avec une force indescriptible. Elle est heureuse comme un animal qui vient de s'évader de sa cage. Le grand silence qui règne ici est fait uniquement de l'absence des hommes.

On ne m'a jamais aimée qu'en partie, pense Lottie. Les fois où l'on m'a aimée, cela m'a tourmentée comme si on m'enfouissait dans la terre, d'abord jusqu'à la cheville, puis jusqu'au genou, puis jusqu'à la poitrine. Dès qu'on m'aime, je commence à étouffer. On me retranche du monde et on me force à entrer dans un trou suffocant. Je déteste qu'on m'aime.

Elle porte les mains à son ventre : J'aurais dû garder l'enfant. Si j'avais su que c'était si beau, je l'aurais gardé.

Quand le frêle pont de neige a cédé, elle pensait encore vaguement à cet enfant : Il aurait fallu qu'il voie ça, le glacier, cette force…

Les pensées se modifient en montagne. Elles se font plus rares, plus concentrées, à mesure que la montagne s'ouvre et s'épaissit. Dans la tête d'Axel il y a seulement la place pour Lottie. Il hurle. Il appelle. Lottie. Lottie. Axel a vu déjà la terre ouverte, et des rugissements sortir de ses failles, mais jamais comme ça. À ses pieds le monde gronde. Il pense : Si je devais tomber dans une crevasse, glisser pardessus bord et disparaître, tant pis, mais seulement après avoir retrouvé Lottie.

Il marche dans la neige, patauge dans la neige, à certains endroits il a de la neige jusqu'à la taille. Il marche d'un pas ferme en plein dans le brouillard qui dévale. Tout devient laiteux et opaque. Trempé. Il marche aussi vite que possible pour conserver la chaleur. Ses pieds cherchent des appuis sans risque pour ne pas gaspiller de l'énergie en trébuchant. Il appelle : Lottie. Il a mal à la gorge à force de s'égosiller. Mais dès qu'il se tait, le grand silence revient.

Il est seul. Est-il vraiment seul ? Il sent une présence. C'est peut-être un oiseau, un lièvre, quelque chose.

Lottie ? murmure-t-il.

Il se tait de nouveau, écrasé, vaincu par le vacarme du cœur de la terre et par le silence oppressant de la montagne.

Il paraît petit, gris et soudain vieilli. Il attend sans bouger. Il lève la tête, s'étonne de voir de nouveau le ciel, les nuages, une éclaircie, une bande de ciel bleu, un rayon de soleil. Le temps se lève. Le soleil perce. Axel s'incline dans un petit salut involontaire vers la lumière.

Lottie, tu m'entends ? Tu ne vas pas être cruelle au point de me faire tourner en bourrique comme ça, après tant d'heures de marche, et je commence à manquer de souffle, je crois…

Il a brusquement conscience d'être observé. Il sent sa carotide palpiter très fort. C'est un grand oiseau. Perché hautainement sur une arête de roc, fixant sur lui des yeux immobiles, se trouve un condor, l'un des plus grands qu'Axel ait jamais vus. Vues d'en dessous, ses fortes pattes aux serres crispées sur la pierre sont colossales. Axel fait un signe de la main, amical. Aussitôt les yeux deviennent jaunâtres, puis intelligents. Maintenant l'oiseau le regarde d'un air tranquille, méprisant, divin, du même regard qui a toujours été celui de Lottie, et sans doute déjà dans l'enfance.

Lottie me regarde par les yeux du condor, se dit-il. Ce condor est Lottie. C'est pourquoi il ne montre aucune crainte, et même les plus belles, les plus douces plumes de son ventre ne frissonnent pas dans le vent, et ses yeux fauves, impitoyables, ne clignent pas.

Lottie, hurle Axel.

Lottie, répond le condor.

Je suis Lottie, pense Axel. Je suis en train de devenir elle. Il lèche sur ses lèvres de la sueur. C'est le sel de Lottie. Il se pourlèche encore une fois.

Je suis en train de devenir elle.

Après avoir franchi des crevasses de mille mètres, grises, noires, bleues, et passé trois ou quatre ponts de neige qui se délitent mollement dans le soleil, Axel s'écroule. Son cœur s'arrête de battre. Et puis quelque chose le fait repartir, ce cœur, peut-être l'ombre du vol d'un condor. Il marche encore un peu. Et puis il tombe. Il tombe. Il tombe. Et le vieux berger qui sortait justement de sa hutte de pierre pour aller tirer des lapins est en train de courir dans sa direction.

Le vieux a trouvé le bonnet d'Axel, pris dans une herse de glace. Il se penche sur la crevasse, il appelle, il appelle Axel. D'en bas, d'un fin fond, une voix lui répond. Cette voix demande une corde. Le vieux envoie la corde. Et il commence à tirer, il tire de toutes ses forces. Mains déchirées, fatigue, arêtes de glace entamant la corde, l'ascension dure longtemps, très longtemps.

Lottie, Lottie, souffle Axel à chaque saccade.

Soudain les doigts qui agrippent son poignet sont très bronzés. Le pouce qui se verrouille autour de sa main a une puissance d'anaconda. Les mains s'enfoncent l'une dans l'autre jusqu'à la garde. Axel ressent aussitôt quelque chose d'érotique, comme si la main du vieux se poussait en lui, pénétrait sa paume. Le poignet du vieux contre son poignet est large et puissant. Le corps d'Axel bascule enfin sur la lèvre de la crevasse, il est vivant, il a à peine trente ans, la fatigue lui en donne infiniment plus, ses joues sont bleues. Ses chevilles sont brisées.

Le vieux s'assied dans la neige. Le fantôme gémissant et pâle lui demande du sucre en espagnol. Le vieux sort des noix de sa poche.

Tu m'as sauvé, mec!

Le Ciel l'a voulu.

Tu as vu ma femme? demande Axel. Avec un bonnet bleu?

Le vieux charge le garçon sur son dos et il commence à redescendre. Le vent a fraîchi de nouveau. Le vieux halète. L'air raréfié ne descend pas dans les poumons, il a l'impression de ne pas respirer, qu'il n'y a rien d'exploitable dans une goulée d'air.

Tu es fatigué, hein? murmure Axel. Tu devrais me laisser là. Toi, tu as ta vie…

Serrant Axel contre lui, le vieux s'engage sur une étroite passerelle recouverte de neige qui franchit une crevasse.

On ne passera jamais!

Ne regarde pas, dit le vieux.

Axel regarde quand même. Sa respiration devient saccadée et bruyante, son cœur bat la chamade. Le vieil invincible passe l'arche de neige qui a l'air suspendue dans le vide. La neige crisse.

Tu marches sur l'eau, dit Axel.

Il s'évanouit. Il est encore plus lourd. Le vieux chamane finit par retrouver sa hutte. Il se courbe pour entrer dans ce gîte minuscule.

Il faut que j'aille chercher ma femme, dit Axel, à peine étendu sur le matelas de crin.

Le vieil homme immobile le regarde fixement, embarrassé et sur la défensive.

Ta femme, elle a été dévorée par les démons, dit-il en posant la cruche de lait sur un tabouret.

Dans l'âtre flambe un feu de bouses séchées. Le vieux trempe des galettes de maïs dans le lait de chèvre. Il tend le lait à Axel. Axel s'endort paisiblement. Ensuite, le vieux n'accorde plus la moindre attention à son hôte, comme s'il était tout naturel que dans cette pièce minuscule vivent ces deux hommes à l'air perdu.

Le vieux a ôté ses bottes. Les pieds sont en charpie. Le sang gelé s'est dégelé. Infâme. Puant. Le vieux chamane s'est allongé sur un banc. Sur cette froide et terrible couchette il s'est ramassé en chien de fusil pour se préparer au sommeil. Axel ronfle doucement. Ses lèvres gercées se rouvrent à chaque poussée de l'air. Axel se tourne de l'autre côté. Le banc grince.

Lottie, murmure-il.

Le lendemain, le vieux a simplement demandé depuis combien de temps les Prussiens faisaient route ensemble :

Je l'ignore, a répondu Axel. Peut-être toute une vie. Peut-être plus.

Axel ne peut pas marcher mais il cherche Lottie des yeux encore trois jours. Trois jours en apnée, presque sans oxygène, trois jours où il est sans conteste l'homme le plus haut du monde. Il est brûlant de fièvre. Ses plaies ont viré au vert purulent. Son œil collé à la lunette est desséché par le soleil, presque aveugle, promenant partout une tache de sang.

Au bout de ces trois jours, le vieux chamane parvient à le convaincre qu'il faut redescendre pour faire soigner ses plaies.

Il faut couper là-dedans sinon la gangrène va te manger tout cru.

Endosser le sac, franchir la porte, dire adieu au refuge. Pour protéger du froid leurs mains écorchées, ils les enroulent dans des écharpes. Dévaler la montagne en glissant. Puis de la neige aux genoux. Brouillard.

Là-bas, dit le vieux. Il faut descendre par là.

Penchés en avant ils avancent à pas lourds le long d'une arête rocheuse vitrifiée par le gel. À leur droite s'ouvre un précipice. On descend trop vite, le nez d'Axel s'est mis à saigner, il applique un mouchoir sur son visage, le mouchoir gèle, étonnante sculpture rouge, et malgré les écharpes enroulées qui matelassent les mains d'Axel, ses doigts sont de nouveau insensibles. Impossible de régler les quelques instruments qui lui restent, ou même de les tenir. Le monde est donc sans mesure. La douleur surtout, incommensurable, et d'autant plus épaisse qu'elle est inconnue.

Mon cœur est un magma brûlant qui gémit, pense Axel. Et penser à des mots c'est déjà quelque chose, formuler cette image molle et rouge c'est déjà un petit soulagement.

Un peu plus bas, des pierres se détachent sous les pas et giclent au ciel. Axel est atteint à la pommette. Un cataplasme de neige atténuera l'hématome. Axel est à la fois atterré et fou de désir. Les deux. C'est invivable. Lottie lui manque, c'est une amputation, une plaie, quelque chose en lui de très profond est déchiré, en lambeaux.

Pour redescendre il faut pousser Axel à glisser sur son cul, comme un môme, lui donner de petits coups d'épaule pour que le poids de son corps soit emporté dans la descente. Glisser, faire halte, glisser encore un peu, boire souvent, et surtout ne pas penser. Luger pour ainsi dire le long du Chimborazo, dans un tempo régulier. Sans effort. Une descente fluide. Mais, alors même que son poids l'entraîne vers le bas, Axel voudrait remonter vers les neiges. Vers l'ombre qui lui fait penser à Lottie. Ce paysage tout là-haut est celui de Lottie. C'est là qu'elle a voulu vivre.

Elle est vivante murmure-t-il, elle est très forte, je sais qu'elle est capable de s'en sortir.

Ils traversent des marais, des moustiques les harcèlent, le berger porte Axel, le bras passé sous son épaule, il porte Axel en bandoulière comme un sac de quelque chose de fini, il s'appuie sur un bâton, le visage dur et pétrifié.

Puis ils retrouvent les troupeaux. À ce moment-là seulement, le vieux ose demander : Ta femme, elle t'a donné des enfants ?

Axel réfléchit : Je te le dirai un peu plus tard.

À quoi ils ressemblent, tes fils ? insiste le vieux.

Quelle différence ça ferait si je te le disais ?

J'en sais rien. Je pense quand même que ça devrait faire une différence.

Moi aussi, dit lentement Axel, mais laquelle ?

Tu n'es pas obligé de me dire comment ils s'appellent, tes fils, dit le vieux.

Les gens du pays le traitent avec bonté. Le feu éclaire un cercle de visages animés, jeunes et vieux.

Axel se demande s'il lui est jamais arrivé de voir tant de figures sympathiques à la fois. Il raconte son histoire à tout le monde, dans deux ou trois langues.

Je la retrouverai, vous savez. Hier, j'étais à deux doigts de la retrouver. Je vais attendre un peu avant d'y retourner, mais vous verrez, les glandes de la chance, elles vont fonctionner à plein ! Je vais la revoir pas plus tard que demain matin.

Les bergers nourrissent Axel de lait fermenté et de galettes de maïs. Parfois de vieux montagnards mal embouchés se lèvent de table en haussant les épaules. Ils pensent qu'il est impossible à une femme, toute seule, de monter au sommet du Chimborazo.

Ça n'est pas vrai, elle n'a pas pu monter, impossible. Elle t'a plaqué, tout simplement, mon gars ! Elle t'a quitté, elle est rentrée au pays ! Inutile d'aller chercher par là-haut.

Le soir, après souper, on invite parfois le Prussien à faire une partie de dés et on s'attarde autour du feu de camp. Axel parle de l'Europe et de l'ancien temps. Le printemps se réchauffe peu à peu, il n'a pas besoin de grand-chose pour vivre. La plupart du temps il dort à la belle étoile, roulé dans la couverture de Lottie, et regarde les météorites filer dans le ciel. Une nuit Axel rêve que Lottie dort contre lui, mais il a beau l'appeler, Lottie ne veut pas lui parler. Elle fait seulement le geste de la suivre. Il la suit. Il épouse la terre, qui est Lottie. Il descend lentement dans le ventre de la terre, il descend dans le ventre de Lottie. Renaissance. Christophe Colomb, Vasco de Gama, des héros superficiels ! Voilà les coupables conquérants de la surface, ils ont cru élargir le monde, or il fallait plonger dans le gouffre, descendre toujours plus loin dans le volcan. Mettre sa vie dans le cratère pour une excursion de lumière. Recommencer sa vie dans le ventre de la terre, où tout a commencé voilà des milliards d'années. Viens en moi, disait Lottie. Et Axel est descendu dans le cratère, trempé dans son manteau de chinchilla. Inutile de respirer. Tout est possible. Il y a une autre vie au sein de la terre. Axel a remonté des fleuves souterrains, nu, flottant, sans dimension ni pesanteur. Mieux que noyé, fondu dans ce nouveau monde, à l'intérieur de Lottie. Les courants chauds l'ont fait monter et redescendre. Ses mains grandes ouvertes ont caressé des bords humides et tièdes, qui se déployaient doucement. Le ciel est partout. Dessus et dessous à la fois. Axel déboule dans cette lumière, à plat ventre, les bras en avant, il glisse, bercé par les pulsations, les courants l'emportent, il trace des galeries fluides et bienfaisantes dans le cratère de Lottie, quelle liberté !

Quand il se réveille, il ressent un complet épuisement, mais de bonheur. Un petit gosse est accroupi devant lui, une main posée sur son épaule.

Ça va ?

Excuse-moi, j'ai fait un rêve, je crois…

La voix d'Axel se casse. Il toussote.

Tu as rêvé de quoi ?

J'étais un petit veau et je naissais.

Il parle sur un drôle de ton. Encore une fois la toux. Sa voix cassée. Comme si une autre voix était en train de frayer un chemin dans sa voix. Une voix qu'Axel n'entend pas, bien sûr, mais qu'il connaît, c'est la voix de Lottie, sa musicalité, son rythme, ses péchés mignons de hauteur et d'intensité.

Tu es sûr que ça va ? répète le gosse

Oui, dit Axel d'un timbre haut perché.

Tu veux un peu d'eau ?

Non, c'est gentil, je vais tout de suite me rendormir.

Axel lui caresse la joue. Le gosse se rétracte sous les doigts noueux, marqués par le lasso, tachés par les acides et des années de soleil. Les veines épaisses au poignet. La paume hachurée. Il y a là tout ce qu'il faut pour dessiner une carte du monde.

Tu es un brave petit, murmure Axel. Laisse-moi maintenant.

À ces mots, le vent se lève. Sonnerie de trompette du soleil qui passe enfin à travers les nuages. Axel n'ose plus regarder dans les yeux ce gosse vraiment trop collant qui lui apporte des gâteaux de maïs trempés dans du thé brûlant, presque solide de sucre, et un bouquet de bignonias d'un bleu violet.

Le ciel est dégagé, et du même bleu. Le gosse aime cette image d'Axel se découpant sur le ciel.

Ce sera la dernière image nette d'Axel von Kemp. Car de ce jour, on ne l'a jamais revu que de très loin.

Il s'est laissé pousser la barbe comme un ermite. Il est monté dans la montagne par ce chemin-là, disent les gens, et il n'est plus jamais descendu.

Un an plus tard, quelqu'un dit qu'un homme à voix de femme lui avait volé des vêtements de femme. Et un autre dit qu'il y a dans la montagne un démon, c'est une femme enceinte, géante, une femme au dernier stade de la grossesse. Un vieux berger qui rentrait de la chasse a dit qu'il avait vu un grand prêtre en train de couper ses organes génitaux avec un couteau d'obsidienne. Et il les a jetés dans le cratère pour crier son amour au soleil, pour célébrer ses noces avec le monde.

Des centaines d'histoires, rocambolesques ou dramatiques, grinçantes ou paraboliques, se sont greffées sur les mémoires. La rumeur créole a fait mourir Axel von Kemp sur les rives de l'Amazone, prétendant que sa musculature légendaire n'a pu le sauver ni de l'étreinte d'un anaconda ni de la voracité des piranhas. Un planteur l'a vu capturé par une tribu pour les vertus aphrodisiaques de ses yeux bleus. Aux dires d'un révolutionnaire il est devenu mercenaire d'une jeune république, puis le plus blond des caudillos, ayant fusillé à lui seul huit cent soixante-six Espagnols. On dit aussi qu'il a filé tout droit vers le cap Horn pour être l'homme le plus sud du monde.

Malgré le déferlement d'expéditions prussiennes envoyées à sa recherche, on perd définitivement sa trace au seuil de la Patagonie.

Lottie a dû savoir cela, comme on sait les choses dans un rêve.

DU MÊME AUTEUR

ROMANS

[illegible], Julliard, [illegible]

[illegible]

[illegible], Julliard, [illegible]

[illegible], Julliard, 199[illegible]

[illegible], Julliard, [illegible]

[illegible], Julliard, 199[illegible]

[illegible], Gallimard, [illegible]

[illegible], "[illegible]", [illegible], 1994.

[illegible], Gallimard, [illegible]

[illegible], Gallimard, [illegible], 1998.

[illegible], Gallimard, [illegible]

[illegible], Gallimard, [illegible]

[illegible], 2001 ; [illegible], 2002, 2003.

[illegible], Gallimard, 2003.

[illegible], Gallimard, [illegible]

[illegible], "[illegible]", Gallimard, [illegible]

[illegible]

[illegible]

[illegible]

[illegible]

RÉCITS

[illegible]

[illegible], "[illegible]", Gallimard, 1997.

[illegible], Gallimard, 2007.

[illegible]

[illegible]

ROMANS BREVES

[illegible], Julliard, 1993.

[illegible], Gallimard, 2007.

[illegible], Gallimard, 1995.

[illegible]

[illegible]

DU MÊME AUTEUR

ROMANS

L'AMPUTATION, Julliard, 1989.
L'ORCHESTRE ET LA SEMEUSE, Julliard, 1989.
LA MODÉLISTE, Julliard, 1990.
LE LONG SÉJOUR, Julliard, 1991.
LA QUATRIÈME ORANGE, Julliard, 1992.
LE VÉLIN, Julliard, 1993.
LE JARDIN CLOS, Gallimard, 1994.
LA LUNE DANS LE RECTANGLE DU PATIO, "Haute enfance", Gallimard, 1994.
LE VENTILATEUR, Gallimard, 1995.
LA VERRIÈRE, Gallimard, 1996; Folio n° 3107, 1998.
ELLE FERAIT BATTRE LES MONTAGNES, Gallimard, 1997.
LA PATIENCE SAUVAGE, Gallimard, 1999.
LA CHAMBRE D'ÉCHO, Le Seuil, 2001 ; Points n° 1062, 2003.
MÉSANGES, Gallimard, 2003.
PANDÉMONIUM, Gallimard, 2006.
NOTRE-DAME DES SEPT DOULEURS, "Haute enfance", Gallimard, 2008.
NOCES DE CHÊNE, Gallimard, 2008.
SUR L'AILE, Mercure de France, 2010.
SON CORPS EXTRÊME, Actes Sud, 2011.
OPÉRA SÉRIEUX, Actes Sud, 2012 ; Babel n° 1234.
LA SPLENDEUR, Actes Sud, 2014.

ESSAIS

COLETTE. COMME UNE FLORE, COMME UN ZOO, Stock, 1997.
L'ÉCRIVAILLON OU L'ENFANCE DE L'ÉCRITURE, "Haute enfance", Gallimard, 1997.
PETIT ÉLOGE DE LA PEAU, Folio n° 4482, Gallimard, 2007.
LE SYNDROME DE DIOGÈNE, ÉLOGE DES VIEILLESSES, Actes Sud, 2008.
LES LIVRES PRENNENT SOIN DE NOUS, Actes Sud, 2015.

FORMES BRÈVES

LES ÉCARTS MAJEURS, Julliard, 1993.
GRAVEURS D'ENFANCE, Christian Bourgois, 1993; Folio n° 3637, Gallimard, 2002.
ALBUM, "Petite bibliothèque européenne du XXe siècle", Calmann-Lévy, 1995.
ICÔNES (poésie), Champ Vallon, 1996.
LA LIGNE ÂPRE, Christian Bourgois, 1998.

BLASONS D'UN CORPS ENFANTIN, Fata Morgana, 2000.
ÉMULSIONS (poésie), Champ Vallon, 2003.
LES ENFANTS SE DÉFONT PAR L'OREILLE, Fata Morgana, 2006.
50 HISTOIRES FRAÎCHES, Gallimard, 2010.

OUVRAGE RÉALISÉ
PAR L'ATELIER GRAPHIQUE ACTES SUD
ACHEVÉ D'IMPRIMER
SUR ROTO-PAGE
EN MARS 2015
PAR L'IMPRIMERIE FLOCH
À MAYENNE
POUR LE COMPTE DES ÉDITIONS
ACTES SUD
LE MÉJAN
PLACE NINA-BERBEROVA
13200 ARLES

DÉPÔT LÉGAL
1re ÉDITION : AVRIL 2015
N° impr. : 88157
(Imprimé en France)